ACCESO GRATIS *a la Lectura en la Nube*

AF175121

Para visualizar el libro electrónico en la nube de lectura envíe junto a su nombre y apellidos una fotografía del código de barras situado en la contraportada del libro y otra del ticket de compra a la dirección:

ebooktirant@tirant.com

En un máximo de 72 horas laborales le enviaremos el código de acceso con sus instrucciones.

© TIRANT LO BLANCH
   EDITA: TIRANT LO BLANCH
   C/ Artes Gráficas, 14 - 46010 - VALENCIA
   TELFS.: 96/361 00 48 - 50
   Fax: 96/369 41 51
   Email: tlb@tirant.com
   www.tirant.com
   Librería Virtual: www.tirant.es
   DEPOSITO LEGAL: V-1452-2020
   ISBN: 978-84-1355-545-4
   MAQUETA E IMPRIME: Tink Factoría de Color , s.l.

Si tiene alguna queja o sugerencia, envíenos un mail a: atencioncliente@tirant.com.
En caso de no ser atendida su sugerencia, por favor, lea nuestro procedimiento de quejas en:
www.tirant.net/index.php/empresa/politicas-de-empresa

Responsabilidad Social Corporativa
http://www.tirant.net/Docs/RSCTirant.pdf

LA ADMINISTRACIÓN DE BIENESTAR SOCIAL: IMPLICACIONES PARA LA INTERVENCIÓN SOCIAL

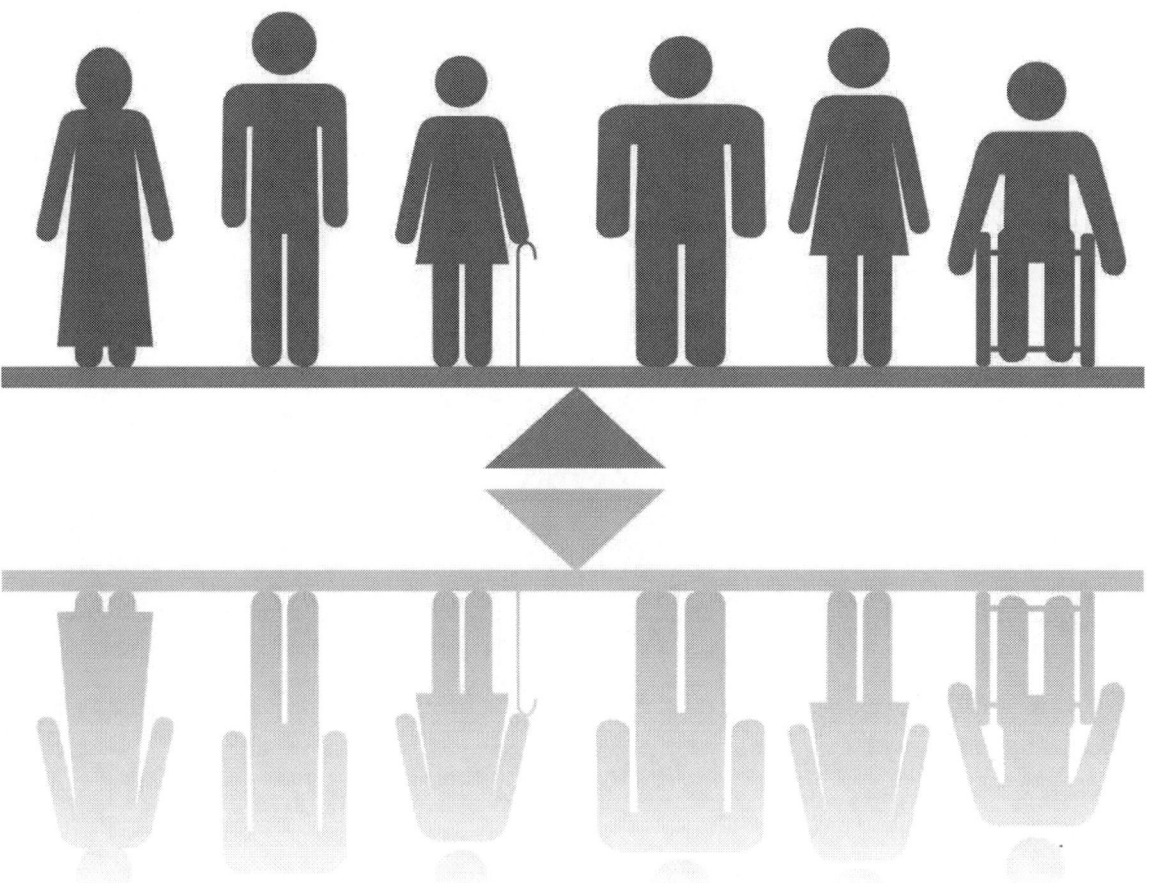

José-Javier Navarro–Pérez (UVEG)
Enric Sigalat-Signes (UVEG)
Ángel Joel Méndez López (UVEG)
Departament de Treball Social i Serveis Socials.
Universitat de València

(Coordinación)

NOTA DE LOS AUTORES

El trabajo que presentamos es una coordinación desarrollada a partir de fuentes secundarias sobre los diferentes sistemas de bienestar que consideramos básicos: Organización Administrativa del Estado, Servicios Sociales, Seguridad Social, Salud, Sistema de Autonomía y Atención a la Dependencia, Educación, Empleo, Justicia y Vivienda. Todos ellos sistemas que configuran las políticas públicas en materia social y que contribuyen en el soporte del Estado de Bienestar.

Éste es un material especialmente dirigido a la práctica docente, diseñado para su implementación en asignaturas relacionadas con la organización administrativa del bienestar; por tanto, idóneo para su uso como bibliografía de referencia en las asignatura 33501 Administración Social y Sistemas de Bienestar (*Grado de Trabajo Social*) y 33457 Administración Social y Sistemas de Bienestar (*Grado de Educación Social*), de la *Universitat de València*. Cada capítulo desarrolla un sistema de bienestar, y va acompañado por diferentes ejercicios que combinan los contenidos expuestos, con objeto de que los y las estudiantes implementen las competencias adquiridas.

Asimismo, es un manual que ayuda a identificar el rol que juegan los sistemas de bienestar en el desarrollo del bienestar social. Se orienta también a investigadores cuyo objeto de estudio se halle configurado por *La administración del Bienestar Social y sus Implicaciones para la Intervención Social.*

INDICE

José Javier Navarro-Pérez
Universitat de València

Angel Joel Méndez-Lopez
Universitat de València

Enric Sigalat-Signes
Universitat de València

1.1 Introducción: Organización Administrativa
1.1.1. Principios constitucionales de la organización administrativa.
1.1.2 Administración periférica
1.1. 3. Administración Consultiva
1.2. El control financiero de la Administración del Estado
1.3. Conclusiones

Angel Joel Mendez Lopez
Universitat de València

Enric Sigalat-Signes
Universitat de València

José Javier Navarro-Pérez
Universitat de València

Alejandro Gil-Salmerón
Universitat de València

2. Introducción.
2.1. Contexto normativo, estructuras institucionales y organización del Sistema de Servicios Sociales en España.
2.2. Contenido y Estructura de los Servicios Sociales en España.
a) Los Servicios Sociales Comunitarios.
b) Los Servicios Sociales Especializados.
2.3. Los Servicios Sociales en la Comunitat Valenciana: la Ley de Servicios Sociales Inclusivos.
2.4.Conclusiones.

Capítulo 3. LA SEGURIDAD SOCIAL: AVAL DE LA PROTECCIÓN SOCIAL... *Pág.47*

Alejandro Gil-Salmerón
Universitat de València

Enric Sigalat-Signes
Universitat de València

Angel Joel Mendez López
Universitat de València

José-Javier Navarro-Pérez
Universitat de València

Capítulo 4. EL SISTEMA SANITARIO: LA SALUD COMO BASE DE BIENESTAR... *Pág.63*

Alejandro Gil-Salmerón
Universitat de València

Capítulo 5. EL SISTEMA DE PROMOCIÓN DE LA AUTONOMÍA Y ATENCIÓN A LA DEPENDENCIA: LA INSTITUCIONALIZACIÓN DE LOS CUIDADOS EN ESPAÑA...... *Pág. 85*

Alejandro Gil-Salmerón
Universitat de València

Capítulo 6. EDUCACIÓN: NECESIDAD Y RETO PARA EL BIENESTAR DE LA SOCIEDAD... *Pág. 99*

Enric Sigalat-Signes
Universitat de València

José-Javier Navarro-Pérez
Universitat de València

Angel Joel Méndez-Lopez
Universitat de València

Enric Sigalat-Signes
Universitat de València

Angel Joel Méndez-López
Universitat de València

José Javier Navarro-Pérez
Universitat de València

José-Javier Navarro-Pérez
Universitat de València

Enric Sigalat-Signes
Universitat de València

Angel Joel Mendez-Lopez
Universitat de València

Angel Joel Méndez-Lopez
Universitat de València

José Javier Navarro-Pérez
Universitat de València

Enric Sigalat-Signes
Universitat de València

Enric Sigalat-Signes
Universitat de València

José-Javier Navarro-Pérez
Universitat de València

Angel Joel Mendez-Lopez
Universitat de València

Alejandro Gil-Salmerón
Universitat de València

Capítulo 1. APROXIMACIÓN A LA ORGANIZACIÓN ADMINISTRATIVA DEL ESTADO Y SUS PRINCIPIOS CONSTITUCIONALES

José Javier Navarro-Pérez
Universitat de València

Angel Joel Méndez-Lopez
Universitat de València

Enric Sigalat-Signes
Universitat de València

1.1 Introducción: Organización Administrativa
1.1.1. Principios constitucionales de la organización administrativa.
1.1.2 Administración periférica
1.1.3. Administración Consultiva
1.2. El control financiero de la Administración del Estado
1.3. Conclusiones

1.1. Introducción: Organización Administrativa

El Estado responde a un patrón organizativo complejo. La Administración General del Estado es una organización pública instrumental del Gobierno para desarrollar e implementar sus políticas públicas o prestar servicios. El Gobierno dirige la Administración General del Estado, y ésta actúa inspirada por los principios que a continuación se detallan.

La organización del Estado puede alterarse "cuando circunstancias extraordinarias hiciesen imposible el mantenimiento de la normalidad mediante los poderes ordinarios de las autoridades competentes", según establece la Ley Orgánica. 4/1981, de 1 de junio de Estados de Alarma, Excepción y Sitio, que establece las competencias y limitaciones correspondientes.

El *Estado de alarma* será declarado por el Gobierno mediante decreto acordado por el Consejo de Ministros por un plazo máximo de quince días, dando cuenta al Congreso de los Diputados.

La decisión de declarar el *Estado de sitio* la toma el Congreso de los Diputados por mayoría absoluta, a propuesta exclusiva del Gobierno.

El *Estado de excepción* será declarado mediante decreto acordado en Consejo de Ministros, previa autorización del Congreso de los Diputados.

La Ley Orgánica 4/1981 no prevé intervenciones específicas de las Fuerzas Armadas en los estados de alarma y de excepción, lo que no quiere decir que tales circunstancias no incidan también en la Administración Militar.

En esas circunstancias el Gobierno, que dirige la política militar y de la defensa, asumirá todas las facultades extraordinarias previstas en la Constitución y en la Ley Orgánica de Estados de

Alarma, de Excepción y de Sitio, y designará la autoridad militar que, bajo su dirección, haya de ejecutar las medidas que procedan.

1.1.1. Principios constitucionales de la organización administrativa.

El artículo 103 de la Constitución Española dice: *"La Administración Pública sirve con objetividad los intereses generales y actúa de acuerdo con los principios de eficacia, jerarquía, descentralización, desconcentración y coordinación con sometimiento pleno a la Ley y al Derecho".*

Las Administraciones Públicas (territoriales, instrumentales o corporativas) son un conjunto de instituciones, y como tales, se ven investidas de la potestad organizativa. Se entiende por potestad organizativa un conjunto de facultades que permiten a cada Administración configurar su estructura, es decir, de llevar a cabo su autoorganización dentro de los límites impuestos por la Constitución y las leyes ordinarias.

La administración se rige por cinco principios: *eficacia* , *jerarquía* (respeto a rangos), *descentralización, desconcentración* y *coordinación.*

Principio de eficacia:

Consiste en la consecución de fines buscando la calidad de los servicios y la buena gestión económica. Las actuaciones de la administración o el principio de eficacia es obtener los mejores resultados en el menor tiempo posible con los mínimos trámites. Si por ejemplo quieres abrir una tienda en un centro comercial tienes que hacer unos trámites, pero el tiempo que te costaría abrirlo en España es de 6 a 9 meses, en Inglaterra unos 15 minutos. **Eficiencia:** completa la eficacia, atiende a la optimización en el uso de los recursos materiales y humanos para la consecución de planes planteados y la mejora de calidad de los servicios con mayores logros a menores costes.

La categorización como principio por la Constitución del deber de ser eficaz, comporta que la Administración, en su actuación, no sólo ha de ajustarse al principio de legalidad, sino que además, deberá poner todos los medios (materiales y humanos) para llevar a cabo el fin que la Norma Fundamental le asigna: **la consecución del interés general.**

Principio de jerarquía:

El principio de jerarquía es la obediencia de un rango a otro. Un órgano de la administración se subordina a otro, con arreglo a una escala de mayor o menor rango y con objeto de lograr la unidad de mando. El órgano superior tiene la competencia de dirigir, controlar, vigilar y resolver conflictos entre los órganos inferiores.

Con el término jerarquía se hace referencia a la subordinación existente entre los distintos órganos administrativos, pero también a la que se produce entre el personal al servicio de la Administración. La relación de jerarquía va a suponer que el órgano superior ostenta sobre el inferior una serie de potestades (de dirección, de vigilancia, inspección o fiscalización, y disciplinaria), debiendo éste cumplir, en correspondencia, una serie de deberes para con aquél (respeto, obediencia y acatamiento).

Principio de descentralización:

El principio de descentralización consiste en el traspaso de competencias de los órganos de una administración a otra diferente que ejerce en lo sucesivo estas competencias como propias con posibilidad de fiscalización pero no de intervención por parte del órgano que descentralizó, a excepción de situaciones previstas en la Constitución como por ejemplo el *"Estado de Alarma"*, *"Estado de Excepción" o "Estado de sitio"* o la aplicación de artículos en defensa del interés general y por el mantenimiento del orden social establecido.

En materia de calendario educativo, las competencias pertenecen a las comunidades autónomas, con el fin que el alumnado reciba no menos de 175 días lectivos por curso escolar. En materia penitenciaria algunas Comunidades Autónomas las tienen transferidas y otras no; respecto la financiación pública, País Vasco y Navarra tienen otros parámetros diferentes al resto del Estado. La descentralización puede ser del estado a las comunidades autónomas, de las comunidades autónomas a los ayuntamientos, y de estos a las diputaciones provinciales y viceversa.

La descentralización es una técnica en cuya virtud las funciones públicas se distribuyen entre varias Administraciones públicas, jurídicamente independientes y tiene como consecuencia la disminución de la vigilancia o tutela de la Administración de ámbito territorial superior sobre la Administración de ámbito territorial inferior. En la configuración del Estado compuesto, la descentralización de funciones típicamente estatales ha operado en favor de los nuevos entes regionales que se constituyeron, intensificándose, al propio tiempo, la descentralización de funciones en favor de las entidades locales. Se trata de un proceso no acabado. Como es sabido, en la actualidad asistimos a un periodo de reformas estatutarias que profundizan en la descentralización autonómica. Por otra parte, y en lo que a las entidades locales concierne, en relación a las cuales la descentralización no es política, sigue demandándose la "segunda descentralización" (esto es, el aumento de las competencias locales) que, sin embargo, no acaba de materializarse, mucho menos con la Reforma de la Ley de Bases de Régimen Local (Ley 27/2013, de 27 de diciembre de Racionalización y Sostenibilidad de la Administración Local)

Principio de desconcentración:

Desconcentración es una transferencia de funciones de forma permanente de los órganos superiores a los órganos inferiores jerárquicamente ordenados. Aquí hablaríamos de transferencia de funciones de los superiores a los inferiores. Por ejemplo, el "jefe" de un presidente autonómico no es el presidente del gobierno.

En el caso reciente de Cataluña, por ejemplo, el máximo responsable de que la policía nacional haya cargado contra los manifestantes es el delegado del gobierno en Cataluña. Si en Lleida ha sido menos agresivo que en Barcelona ha podido ser, entre otras razones, por el subdelegado del gobierno de cada una de las ciudades. Traspaso de funciones de los órganos centrales del Estado a los órganos periféricos en las Comunidades Autónomas (delegados del gobierno) y en las provincias (subdelegados). También puede producirse entre órganos de la administración autonómica y local (ayuntamientos y diputaciones).

La desconcentración tiene lugar en los supuestos en los que las competencias resolutorias están preferentemente atribuidas a los órganos inferiores de una organización, con el objetivo de descongestionar y aliviar las tareas de los superiores. Va a tener lugar siempre entre órganos de un mismo ente público (Presidente del gobierno a delegados del gobierno, y estos a subdelegados de gobierno), pudiéndose dar en cualquier Administración, territorial o institucional, siempre que exista una ordenación jerárquica que lo permita.

Sus principales características son:

- Se produce una transferencia de competencias desde un órgano superior a otro inferior, sin creación de órganos nuevos y en sentido vertical descendente.
- Ha de darse en el seno de un mismo ente.
- La transferencia ha de tener vocación de permanencia, evitando excepcionalidades (un asunto en concreto).
- Se aplica en las Administraciones territoriales como instituciones, siempre que exista una relación jerárquica.

La organización administrativa está integrada por los entes del poder ejecutivo que habrán de realizar las tareas que conforme a la constitución y a las leyes respectivas les han sido asignadas. La ciencia del derecho administrativo estudia tres formas de organización administrativa:

Centralización.

Se presenta el régimen de centralización administrativa cuando los órganos se agrupan colocándose unos respecto a otros en una situación de dependencia tal que entre todos ellos existe un vínculo que, partiendo del órgano situado en el más alto grado de ese orden, los vaya ligando hasta el órgano de ínfima categoría, a través de diversos grados en los que existen ciertas facultades.

Descentralización.

Supone transferir el poder, de un gobierno central hacia autoridades que no están jerárquicamente subordinadas. La relación entre entidades descentrales son siempre horizontales no jerárquicas. Una organización tiene que tomar decisiones estratégicas y operacionales. La Centralización y la Descentralización son dos maneras opuestas de transferir poder en la toma decisiones y de cambiar la estructura organizacional de las empresas de forma concordada.

Desconcentración.

La desconcentración es una técnica administrativa que consiste en el traspaso de la titularidad o el ejercicio de una competencia que las normas le atribuyan como propia a un órgano administrativo en otro órgano de la misma administración pública jerárquicamente dependiente.

Diferencia de la descentralización con la desconcentración

La descentralización no supone la creación de entidades distintas, sino la simple atribución de competencias a los órganos inferiores de la misma entidad. La descentralización conlleva una importante ventaja, pues acerca los niveles de decisión a los administrados. En todo caso, ambas se vinculan a una finalidad democratizadora, dado que se aproximan los centros de decisión a los ciudadanos, facilitándose su participación.

Principio de coordinación:

Tiene por objeto realizar acciones conjuntas y evitar una duplicidad en la actividad de la Administración Pública. Por ejemplo, la baja por paternidad antes se podía solicitar en más lugares físicamente, ahora solo en uno que centraliza los supuestos y atiende las solicitudes. Sirva otro ejemplo, la actuación del presidente del gobierno coordina las funciones del consejo de Ministros. La actuación del presidente de una comunidad autónoma o de las comisiones delegadas del gobierno coordinan la acción de la Conselleria.

La coordinación administrativa se manifiesta en dos planos:

- Dentro de cada organización administrativa: supone la existencia de un superior común que dirige y orienta la actuación hacia un objetivo común, de modo que integre dicha actuación.
- Como principio de relación entre Administraciones Públicas distintas, dirigido a conjuntar diversas actividades en la consecución de un mismo fin. Límite: la alteración del sistema de competencias.

Los tipos de coordinación son:

- La coordinación entre órganos administrativos.
- La coordinación de las entidades locales por el Estado y por las Comunidades Autónomas.
- La coordinación del Estado y las Comunidades Autónomas.

Para su cumplimiento, existen técnicas de lo más variadas, que pueden sistematizarse como sigue:

- Técnicas orgánicas: mediante las que se atribuye a determinados órganos de facultades de coordinación; creación de órganos específicos para coordinar (v. gr., Delegado del Gobierno en las Comunidades Autónomas).
- Funcionales: planificación económica; informes y audiencias de otros órganos en la tramitación de procedimientos; autorización a posteriori del órgano u Administración que coordina.

1.1.2. Administración periférica

La Administración Periférica del Estado es la encargada de ejercer la actividad del Estado en el ámbito provincial, correspondiendo al Delegado del Gobierno la dirección de la misma en el ámbito autonómico y su coordinación con la Administración de la propia comunidad autónoma.

La Ley 6/1997, de 14 de abril, de Organización y Funcionamiento de la Administración General del Estado (LOFAGE) configura, en su Sección 3ª del Capítulo II del Título II, una nueva estructura de la Administración Periférica del Estado, al prever la integración de servicios periféricos ministeriales en las Delegaciones y Subdelegaciones del Gobierno, y Direcciones Insulares, así como la consiguiente supresión de los órganos cuyos servicio se integren.

a) Delegados del Gobierno

De acuerdo con el artículo 154 de la Constitución Española: *"Un Delegado nombrado por el Gobierno dirigirá la Administración del Estado en el territorio de la Comunidad Autónoma y la coordinará, cuando proceda, con la administración propia de la Comunidad."*

- Ostentan la representación del gobierno en la CCAA[1].
- Tienen rango de subsecretario y, por tanto de alto cargo.
- Ejercen la dirección y supervisión de todos los servicios de la administración general del estado y sus Organismos públicos situados en su territorio (servicios integrados y no integrados).
- Protegen el libre ejercicio de derechos y libertades y garantizan la seguridad ciudadana. Proteger que las decisiones del estado sean también Cataluña, por ejemplo.

Las delegaciones están integradas por los siguientes órganos:

- Subdelegaciones del Gobierno en las provincias y Direcciones Insulares.
- Secretaría General y, en su caso, Vicesecretaría General.
- Áreas funcionales, para la gestión de los servicios integrados de Fomento, Industria y Energía, Sanidad y Política Social, Alta Inspección de Educación y Trabajo e Inmigración.
- Gabinete, como órgano de apoyo y asistencia inmediata al Delegado.
- Comisión Territorial de Asistencia, integrada por los Subdelegados del Gobierno, los Directores Insulares en su caso, el Secretario General, el Jefe de Gabinete, los Directores de las Áreas Funcionales y los responsables de los servicios no integrados que el Delegado del Gobierno determine.

b) Subdelegados del Gobierno

Son nombrados por los delegados del gobierno de la CCAA entre los funcionarios de carrera del Estado.
- Nivel de subdirector general, no son altos cargos.
- En cada provincia, y bajo la dependencia del delegado del gobierno, existe un subdelegado.
- Son órganos correspondientes a la Administración periférica del Estado. Existe uno en cada provincia, bajo la inmediata dependencia del Delegado del Gobierno en la respectiva comunidad autónoma y nombrado por él mediante el procedimiento de libre designación entre funcionarios de carrera del Estado, de las Comunidades Autónomas o de las entidades locales, a los que se exige, para su ingreso, el título de Doctor, Licenciado, Ingeniero, Arquitecto o equivalente.
- El cargo de Subdelegado tiene un carácter netamente funcionarial, subordinado a la autoridad y dirección de los Delegados del Gobierno, a quienes corresponde su nombramiento entre funcionarios de carrera. Se configuran como colaboradores del

---

[1] En adelante, Comunidades Autónomas

Delegado del Gobierno con el fin de que éstos puedan ejercer las competencias relativas a los servicios de la Administración General del Estado en el territorio de la Comunidad Autónoma.

1.1.3. La administración consultiva

Presenta sus atribuciones mediante la Ley de Procedimiento administrativo, en su artículo 130. La Administración pública efectúa cuatro categorías distintas de actividad; la activa propiamente dicha, la deliberante, la consultiva y la de vigilancia.

Se compone de órganos asesores que dan su apoyo técnico a los órganos que tienen competencias resolutorias o Administración activa, ayudando a ésta en la preparación de sus decisiones. Así, las Secretarías Generales Técnicas informan legalmente en el procedimiento de elaboración de disposiciones generales. La complejidad de las relaciones jurídico-administrativas y su progresiva tecnificación ha favorecido la proliferación de los trámites de consulta y asesoramiento que, muchas veces, generan notable demora en los procedimientos administrativos. Según Remelluri y Greus (2015), la necesidad de la consulta oportuna va frecuentemente de la mano del deseo de compartir responsabilidades.

La Administración consultiva tiene la misión de aconsejar y asesorar la administración activa, así como de realizar dictámenes o informes sobre aquellas disposiciones de los órganos a los cuales asesora o consulta. Emite directamente sobre las disposiciones o informes sobre los órganos a los que asesora denominados, órganos consultivos. Estos realizan su función mediante la emisión de dictámenes o informes, verbalmente o por escrito, los cuales no son vinculantes (salvo que indique la Ley) sino orientativos. La Administración consultiva es un órgano heterogéneo.

Por ejemplo para la elaboración de una ley se puede pedir un informe sobre cómo puede afectar. Por ejemplo, crear un grupo de WhatsApp, pero hay uno dudo en meter. Ante esta situación, un grupo de la clase que hace un informe justificando las razones de por qué si o por qué no debería permitir el acceso de esa persona; entonces, se evalúan pros y contras del informe. El informe puede resolver finalmente que ese individuo es mejor dejarlo fuera; sin embargo, la decisión la será del responsable de crear el grupo, pero con el asesoramiento externo.

- Sus dictámenes son no vinculantes (salvo que lo indique la Ley) sino orientativos, pero tienen cierto peso en la decisión.
- Estos son órganos de la administración consultiva:

  - Consejo de Estado: organismo supremo de la administración central consultiva, centro general de asesoramiento que emite su parecer, indistintamente, sobre todas las medidas de gobierno. Realiza dictámenes a petición del gobierno y de los presidentes de las CCAA y realiza informes no vinculantes en materia de leyes etc. Emite dictámenes sobre cuántos asuntos sometan a su consulta el gobierno o sus miembros y las CCAA a través de sus presidentes. Deberá ser consultado en asuntos referidos a: proyectos de decretos leyes, anteproyectos de leyes en ejecución de tratados internacionales y transferencias de competencias a las CCAA (descentralización de las competencias).

- **Consejo económico y social: que** está formado por sindicales, altos representantes de economía etc. Es un órgano consultivo del gobierno en materia socioeconómica y laboral, está adscrito al Ministerio de trabajo y seguridad social y formado por representantes de organizaciones sindicales y empresariales (la patronal, la asociación más importante de España es la COE).

  Las funciones del Consejo económico y social son: hacer informes a anteproyectos de leyes y proyectos legislativos que regulen materias económicas y laborales, y elaborar estudios e informes sobre materia socioeconómicas.

1.2. El control financiero de la administración del Estado

Son las cuentas tanto del estado o gobierno central, lo que se gasta en medioambiente, infraestructuras, carreteras, servicios sociales, educación, empleo con discapacidad, en situación de riesgo, etc.

- Hay *dos órganos* que controlan lo que se gasta el Estado, que controlan las cuentas del gobierno central del estado (lo que gasta y lo que se transfiere a las Comunidades Autónomas):
  - La intervención general del estado realiza el control interno de la administración general del estado a través de intervenciones que vienen orientadas por previo mandato, mediante intervenciones delegadas en cada ministerio, organismo autónomo, sociedad estatal o ente público y mediante intervenciones territoriales en las provincias. Control del gasto durante o mientras.

  - El Tribunal de Cuentas hace un análisis del control del gasto a posteriori, formado por 12 consejeros de cuentas nombrados por las Cortes Generales por un periodo de 9 años y un presidente nombrado por el rey entre sus miembros, propuesta de estos, por un periodo de 3 años. Las funciones son la fiscalización externa y permanente, y el enjuiciamiento civil o criminal de las acciones penales o sancionables penalmente, por ejemplo denunciar a alguien que ha hecho soborno o cohecho.

1.3. Conclusiones

Hemos visto la importancia de la administración del Estado en la gestión de las respuestas institucionales tanto en los niveles, central, autonómico y local. Entendemos de vital importancia integrar adecuadamente estos conceptos para interpretar el sistema de competencias descentralizadas del estado a las comunidades autónomas, que configuran el groso de esta asignatura.

 **EJERCICIO**

Realiza una lectura crítica de este texto y conéctalo con los contenidos que se abordar en este primer tema. Aviso Importante: no solo aparecen contenidos en el apartado 6 del artículo:

Jabbaz, M. (2014). La racionalidad y la sostenibilidad como figuras míticas en el desmontaje del sistema público de servicios sociales. *TS Nova: Trabajo Social y Servicios So*ciales, 10, 55-70 http://roderic.uv.es/handle/10550/51842

Capítulo 2. LOS SERVICIOS SOCIALES: INSTRUMENTOS CLAVE DE LA POLÍTICA SOCIAL

Angel Joel Mendez Lopez
Universitat de València

Enric Sigalat-Signes
Universitat de València

José Javier Navarro-Pérez
Universitat de València

Alejandro Gil-Salmerón
Instituto de Investigación Polibienestar
Universitat de València

2. Introducción.
2.1 Contexto normativo, estructuras institucionales y organización del Sistema de Servicios Sociales en España.
2.2. Contenido y Estructura de los Servicios Sociales en España.
   a) Los Servicios Sociales Comunitarios.
   b) Los Servicios Sociales Especializados.
2.3. Los Servicios Sociales en la Comunitat Valenciana: la Ley de Servicios Sociales Inclusivos.
2.4. Conclusiones.

2. Introducción.

Los Servicios Sociales constituyen uno de los principales sistemas que conforman la Administración Social Pública, siendo, a su vez, un conjunto articulado de acciones y propuestas, que permiten responder con efectividad, intención de celeridad y prospectividad, a las necesidades reales de la ciudadanía diversa, intentando que esta última se convierta en protagonista de su propio desarrollo y alcance el máximo progreso posible, a lo largo de su proyecto de vida.

De forma que, los Servicios Sociales, en su amplitud de intereses, búsquedas y propuestas, están regulados y respaldados por el derecho, de ahí que tengan un basamento jurídico-normativo de fondo, el cual le confiere estabilidad y un mínimo de rigurosidad a sus propuestas, encontrándonos en los momentos actuales, en un escenario donde el carácter de universalidad de los mismos, transporta a una dimensión superior, cualitativa y cuantitativamente hablando, sus posibilidades reales de impactar significativamente en (la) sociedad.

Sobre la base de este carácter universal, que se les reconoce a los Servicios Sociales en la actualidad, podemos acercarnos a su meta objetivo fundamental, que puede sintetizarse y sin ánimo de ser definitivos en nuestro planteamiento, en alcanzar o facilitar las condiciones, para que las personas y los colectivos sociales logren el mayor bienestar posible, con la consiguiente mejora en la calidad de vida, tanto de los sujetos a título personal, como de los grupos humanos que pueden resultar destinatarios de la actuación propuesta, a través de los mismos.

Así podemos observar que, los Servicios Sociales son entendidos como un sistema público de protección o de bienestar social, que pueden encontrar razón de ser en diferentes contextos o áreas de actuación, como la infancia, la familia, la juventud, las personas mayores, las personas con diversidad funcional, las personas en situación de desventaja económica y social o las personas inmigrantes y emigrantes, por solo explicitar algunos ejemplos necesarios y significativos.

Su importancia es cardinal en el marco de nuestro Sistema de Bienestar, pues conjuntamente con la Educación, con la Seguridad Social y con la Sanidad, los Servicios Sociales constituyen el grueso del Estado de Bienestar Español, teniendo, en cualquier caso, un carácter (pudiéramos decir que *complementario*) de las prestaciones que se llevan a cabo, por los sistemas, más antiguos y más consolidados, de Seguridad Social y Sanidad.

En los tiempos que corren, cuentan con un amplio abanico de búsquedas y propuestas, que no solo irradian su actuación hacia la prevención, el tratamiento y la eliminación de cualquier causa o situación de desigualdad, marginalidad o exclusión social, sino que se compromete con el pleno desarrollo de las personas, fomentando la solidaridad, el trabajo colaborativo y la participación ciudadana, en el amplio espectro de los Servicios Sociales, todo lo cual pasa inaplazablemente por el establecimiento de las coordinaciones necesarias entre los diversos recursos, tanto públicos como privados, que deben colocarse en función del avance pleno e integral de los individuos y de las colectividades.

Por su parte, la comprensión de los Servicios Sociales como sistemas, primeramente, como sistemas jurídicos, después y complementariamente a ello, como sistemas jurídicos públicos, le confieren un grado notable de consolidación y también de institucionalización, convirtiéndolos de este modo, en recursos, en instrumentos y en herramientas clave, a la hora de desarrollar una política social efectiva, emancipadora y humanizadora, que se sostenga sobre los principios proclamados en la Constitución Española de 1978 y también, que se reconozcan en el ordenamiento jurídico de nuestro país.

Es necesario, además, aludir brevemente en esta introducción y para poder comprender, grosso modo, las prioridades que se aspiran a materializar en el marco de los servicios sociales, al Plan Concertado para el desarrollo de las Prestaciones Básicas de Servicios Sociales, que tiene como propósito fundamental articular la necesaria cooperación, tanto económica como técnica, entre la Administración del Estado y las Comunidades Autónomas, en el empeño de colaborar sinérgicamente con las administraciones locales.

Con ello se busca dar cumplimiento, a las obligaciones que se han de implementar, en lo relacionado con la prestación de Servicios Sociales, constituyendo los fundamentos del sistema, tanto de asistencia como de protección social, por medio de la cual se pretende consolidar una red de servicios sociales de gestión local, a partir de una concertación técnico-metodológica y cooperativa, entre las administraciones locales, autonómicas y estatal. En el Sistema Público de Servicios Sociales, encontramos que, cada año, se renueva el acuerdo en lo relativo al Plan Concertado de Prestaciones Básicas de Servicios Sociales en Corporaciones Locales, lo que permite concretar, a nivel de praxis particular, una actualización permanente de las situaciones y de las propuestas planteadas.

2.1. Contexto normativo, estructuras institucionales y organización del Sistema de Servicios Sociales en España.

Los Servicios Sociales fueron los últimos en formar parte de pleno derecho, del Sistema Público de Protección Social en España, debido a que su incorporación en el mencionado sistema, se ha producido de manera escalonada y progresiva. Es factible aseverar que, la Constitución Española de 1978, se constituye como la frontera que delimita dos etapas fundamentales en torno a los mismos. En una primera instancia encontramos que, los Servicios Sociales se integran en el Sistema de Seguridad Social, por el efecto expansivo de este, pero no en calidad de Sistema de Protección Social, sino en calidad de nuevas prestaciones complementarias. Sin embargo y como resultante de lo dispuesto en la Carta Magna, en los Estatutos de Autonomía que la desarrollan y en las Leyes Autonómicas de Servicios Sociales, estos se irán configurando, paulatinamente, como sistemas jurídicos públicos, que entrarán a formar parte activa y nuclear del Sistema de Protección Social Español.

Visto así, podemos encontrar la presencia por vez primera, de las prestaciones de servicios sociales como noción jurídica, en la Ley de Bases de la Seguridad Social de 1963, donde fueron concebidas como complemento de las prestaciones correspondientes, a las situaciones específicas protegidas por la Seguridad Social. No obstante, a ello, es necesario reseñar que, previo a la Constitución Española de 1978, no podía hablarse aún de Sistema de Servicios Sociales, sino más bien de prestaciones de servicios sociales, integradas en el Sistema de Seguridad Social. Aunque en la Ley Fundamental, no se contiene expresamente el reconocimiento de un Sistema Público de Servicios Sociales, este reconocimiento puede deducirse del sentido global que se le da a la Constitución, así como del texto y del articulado que compone la misma.

A partir de aquí y respondiendo a la progresiva consolidación de los sistemas autonómicos de protección social, podemos decir que las respectivas Comunidades Autónomas, han asumido competencias en materia de asistencia social y servicios sociales, en sus respectivos Estatutos de Autonomía y ello, bajo diferentes denominaciones que, si bien marcan la singularidad de los mismos, también nos evoca a pensar en términos más amplios y generalistas, siempre necesarios estos para impactar con mayor solidez, en cada espacio de la realidad social compleja.

Tras los fracasos, en 1983, de los intentos en elaborar una Ley General de Servicios Sociales, que diera uniformidad en todo el Estado Español al tema de los Servicios Sociales, se optó porque cada Comunidad Autónoma elaborara su propia ley, muchas de las cuales, sin embargo, guardan similitudes y puntos de contactos relevantes entre sí.

Podemos decir que, con la evolución que han tenido las leyes autonómicas y con los numerosos reglamentos de desarrollo de las mismas, los Servicios Sociales han logrado alcanzar una mayor madurez, hasta abrirse camino, consolidándose y convirtiéndose en imprescindibles, tanto para el desarrollo de nuestro Sistema de Bienestar, como para el mejoramiento de nuestra calidad de vida como ciudadanos y ciudadanas. Y ello, ha podido materializarse, mientras los Servicios Sociales han ido cobrando cuerpo, amplitud y sentido, no como meros apéndices de otros sistemas (como pueden ser el de Sanidad o el de Seguridad Social), sino como un sistema jurídico y público, en sentido propio.

Es necesario poner en valor también, el desarrollo de los Sistemas de Servicios Sociales en la legislación local, al reconocerse que todos los municipios poseen competencias, en los términos que determina y demarca la legislación del Estado Español y de las respectivas Comunidades Autónomas, en materia de prestación de los Servicios Sociales, así como de promoción y de reinserción social. Ello se ha considerado así, en todo momento, debido a que, por su proximidad a los problemas, los Ayuntamientos se convierten en el medio y en el espacio natural por excelencia, para llevar a cabo de forma nutricia y efectiva, la prestación de los Servicios Sociales. De modo que, son las corporaciones locales y las autonomías, de forma articulada y conjunta, quienes diseñen y construyen solidariamente, los Sistemas Jurídicos Públicos de Servicios Sociales.

Cuando aludimos a Sistemas de Servicios Sociales, es menester clarificar que se hace referencia a sistemas en plural, debido a que la regulación y la puesta en escena de los mismos, es responsabilidad de cada Comunidad Autónoma, pues no existe en España, a día de hoy, una Ley de Servicios Sociales, que integre absoluta y acabadamente las distintas legislaciones y reglamentaciones autonómicas, en torno a dichos sistemas.

Cada comunidad autónoma ha diseñado y puesto en práctica, las leyes y las estrategias correspondientes, en materia de Servicios Sociales, ajustando las mismas a las características de su territorio y a las prioridades en torno a la mencionada materia. A pesar a ello, existen una serie de ejes y nudos articuladores, que nos permiten delinear cuáles son las principales búsquedas y fundamentos de los Servicios Sociales, en una sociedad democrática, inclusiva y participativa, como pretende ser la española.

2.2. Contenido y Estructura de los Servicios Sociales en España.

Es posible aseverar que, los Servicios Sociales, integran una serie de recursos, prestaciones y también actuaciones concretas que, aspiran cumplir con las finalidades del sistema y que tienen como horizonte de posibilitación, facilitar las condiciones básicas y crear las bases mínimas necesarias para que, tanto las personas, como los grupos sociales que estas conforman, puedan afrontar eficientemente sus situaciones sociales de existencia, a la par que logren superar los problemas y las dificultades específicas, en el camino de mejorar su calidad de vida y ello, sobre una lógica de máxima dignificación.

Para lograr lo anterior, es preciso reseñar que las actuaciones que se producen y objetivizan en el amplio y orgánico escenario de los Servicios Sociales, responden a una iniciativa tendente a estabilizar una Política Social estratégica y cohesionadora, que contribuya a la gestación y al mantenimiento de una sociedad inclusiva y equitativa, donde converjan los intereses individuales y comunes.

De este modo y solo promoviendo el diálogo, la concertación y la participación efectiva, es posible corregir los mecanismos que originan la marginación, la desigualdad y la exclusión social, a la vez que promover mayores niveles de bienestar social, en los diferentes escenarios cotidianos de nuestra realidad. No es baladí considerar que, el Sistema de Servicios Sociales español, amén de sus singularidades, orbite en torno a principios tan cardinales como son: la responsabilidad pública; la solidaridad y la participación; la prevención, la planificación y la evaluación; la igualdad y la universalidad; la globalidad y la integración; así como la descentralización, la desconcentración y la coordinación en la gestión.

Para ello, es importante conocer que los Servicios Sociales, tienen dos niveles de intervención fundamentales; a saber: **a) Los Servicios Sociales Generales o Comunitarios** y **b) Los Servicios Sociales Especializados.**

a) Los Servicios Sociales Comunitarios, podemos decir que constituyen la base del Sistema Público de Servicios Sociales, siendo su estructura fundamental, su núcleo duro, su médula espinal. Ello es posible, porque a través de los mismos, se ofrece y se materializa una atención polivalente, integrada y prospectiva, que tiene como destinataria a toda la población. En su puesta en práctica, se articulan actuaciones de carácter preventivo, pero también asistenciales y rehabilitadoras, a nivel primario, con carácter universal y gratuito. Es responsabilidad de los Servicios Sociales Comunitarios, llevar a cabo la programación, la implementación efectiva y la gestión adecuada de las intervenciones generalizadas de atención primaria. Estos servicios, se prestan a través de equipos multi e interdisciplinarios, que abarcan con su acción, las distintas áreas de Servicios Sociales, en los Centros Sociales que dependen de la Administración Local.

Tomando en consideración el contenido de los Servicios Sociales Generales, en el Catálogo de Referencia de Servicios Sociales, encontramos una serie de servicios que se concretan de forma similar en las distintas Comunidades Autónomas, debido a que responden a las prestaciones básicas del sistema, las cuales deben garantizarse a lo largo y ancho de la geografía española. Este Catálogo de Referencia de Servicios Sociales, se soporta en un esfuerzo y un planteamiento conjunto, en el que se sintetizan los mencionados servicios estatalmente. Los más reseñables son:

- *Información, orientación, asesoramiento y diagnóstico*: Pueden comprenderse como el conjunto de medidas que facilitan información significativa, sobre el grueso de los recursos sociales disponibles, así como en lo relativo al acceso a los mismos, por mediación de la relación de ayuda en la que interviene un o una profesional del ramo. También, en este servicio, se brinda información relevante, asesoramiento profesional y técnico, así como apoyo a individuos concretos, a familias o a grupos con determinadas características, que requieran algún tipo de intervención, en el que los Sistemas de Servicios Sociales, jueguen un rol de cardinal importancia.

De igual modo, en este tipo de actuaciones, se realizan análisis y valoraciones pormenorizadas y diagnósticos sociales, en los que se analice integralmente las situaciones, tanto personales, familiares, como de otra índole, de personas y colectivos concretos. A ello se le suma el abordaje y tratamiento planificado, organizado y multidimensional de las demandas sociales, haciéndose patente una intervención profesional, social y de acompañamiento, siendo a su vez, una herramienta muy efectiva a través de la cual es posible recabar información significativa, para que desde el marco de los Servicios Sociales se pueda planificar, a posteriori, una programación capaz de garantizar a las y a los usuarios del servicio, el acceso a los recursos primordiales del sistema.

Es necesario explicitar que, desde esta actuación en concreto, se desarrollan valoraciones sociales específicas, lo que incluye toda una amplia gama de instrumentos y de recursos técnicos, que facilitan las valoraciones, el reconocimiento, las calificaciones o los informes pertinentes, según los condicionantes particulares de cada quien.

- *Intervención y protección de menores*: la atención a la infancia, comienza en la colaboración del nivel de atención social primaria de los Servicios Sociales Municipales, conjuntamente con los sistemas de salud y el educativo. En esta dirección encontramos que, tanto los Centros Escolares, como los de salud y de Servicios Sociales, en intrincado y planificado trabajo, detectan aquellas situaciones que requieren de una actuación especial. En este sentido, podemos aseverar que, desde los equipos de Servicios Sociales de atención primaria, se ofrece apoyo a las familias en diversas vertientes y aristas, que pueden ir desde la detección precoz de situaciones de riesgo para el menor, hasta el apoyo a las familias cuidadoras de personas en situación de dependencia, pasando por un amplio abanico de situaciones en las que los menores se ven envueltos o que les pueden afectar de uno u otro modo.

En síntesis, podemos decir que este servicio está constituido por un conjunto de actuaciones, que tienen por objeto nuclear, la promoción del desarrollo integral de los y las menores, proporcionándoles la asistencia técnica y material que precisen, para que puedan desarrollarse más funcional y nutriciamente, tanto en su medio familiar como social. A la vez, con estas actuaciones, se trata de lograr que las y los menores adquieran o recuperen sus habilidades, competencias y capacidades concretas, las cuales les permitirán un desempeño más genuino, equilibrado, prospectivo y autónomo. Aquí se incluyen prácticas y actuaciones vinculadas con el acogimiento familiar y con la adopción, así como también, relacionadas con la atención a menores en riesgo social y familiar.

- *Autonomía personal, atención en el domicilio y respiro familiar*: Este tipo de prácticas, comprende el conjunto de actuaciones llevadas a cabo, tanto en el domicilio de la persona como fuera del mismo, con el objetivo-meta de atender integral y articuladamente, las necesidades y actuaciones de la vida diaria, así como la prevención de la pérdida de autonomía para, garantizar un respiro familiar a las personas cuidadoras y a las familias, en términos generales. De igual modo, con este servicio, se pretende la promoción de la autonomía y la adquisición de competencias específicas, tanto personales como sociales, de las mujeres que han sido víctimas de violencia de género y de las personas sin hogar.

- *La Atención Residencial*: El alojamiento alternativo, al domicilio en el que reside la unidad de convivencia, se compone del conjunto de servicios destinados a proporcionar alojamiento, ya sea este temporal o permanente, tanto a las personas como a las familias que carecen de este recurso fundamental o que también y debido a necesidades especiales, se entienda adecuado su alojamiento en diferentes estructuras, donde se ofrece atención continuada y personalizada. Como tendencia generalizada, se desarrolla en sus espacios, una atención integral a los colectivos sociales a los que va dirigido, entiéndase a personas sin hogar, a mujeres víctimas de violencia de género, a menores, a personas en situación de dependencia o a otros colectivos que se encuentren en situación de urgencia.

Otros servicios que pueden mencionarse, por encontrarse insertados en este nivel general, son los siguientes:

- ***Los Servicios Sociales destinados a la mujer***: ya es sabido que la construcción de la violencia de género, sitúa a más de la mitad de la población española en una potencial situación de desventaja. Precisamente por esta razón encontramos que, resulta de primer orden promover programas y recursos de servicios sociales, que equilibren lo máximo posible esta situación, lo que se debe concretar aún más, en las mujeres que requieren de una especial protección.

Por ejemplo, las mujeres víctimas de violencia de género, tienen derecho a los Servicios Sociales de atención, de emergencia, de apoyo y acogida y de recuperación integral. En este sentido encontramos que, la organización de estos servicios, tanto por parte de las Comunidades Autónomas, como de las corporaciones locales, debe responder a los principios de atención permanente, actuación urgente, especialización de prestaciones y multidisciplinariedad profesional, significando esto último brindar información a las víctimas, atención psicológica, apoyo social, seguimiento de las reclamaciones de los derechos de la mujer, apoyo educativo a la unidad familiar, formación preventiva en los valores de igualdad dirigida a su desarrollo personal y a la adquisición de habilidades, en la resolución no violenta de conflictos y apoyo a la formación e inserción laboral.

Aunque en España, la mayoría de las Carteras de Servicios Sociales autonómicas ubican los Servicios Sociales de atención a la mujer víctima de violencia de género en los Servicios Sociales Especializados, también existe este tipo de servicios en el nivel de atención primaria, fundamentalmente cuando se trata de lo relativo a prestar información, orientación, asesoramiento o prevención. Algunos de los principales recursos, donde se brindan dichos servicios son: Centros de información o atención a la mujer; Centros de Día; Hogares y Pisos Tutelados; Teleasistencia Móvil; Teléfono de información y asistencia para mujeres víctimas de la violencia.

- ***Servicios Sociales para personas mayores autónomas***: En el nivel de Servicios Sociales Generales o Comunitarios, encontramos que se prestan una serie de servicios tales como son: información, orientación, asesoramiento, convivencia, emergencia social, participación en el reconocimiento de la situación de dependencia y otros similares, para personas mayores autónomas, entendiendo por este tipo de personas, aquellas que se valen por sí mismas y que no se encuentran en una situación de dependencia, por no necesitar el concurso de terceras personas, para la realización de los actos más esenciales de la vida, tales como vestirse, comer, levantarse, desplazarse y análogos.

Algunos de los más importantes son: Ayuda a Domicilio, Teleasistencia y Servicios de Proximidad. La <u>Ayuda a Domicilio</u> es, por lo general, una prestación típica de servicio que, bajo distintas modalidades y nominaciones, ha sido la más característica y la primera en ser instrumentada en la atención familiar de personas mayores; aunque ha revestido muchas formas, la más común ha sido el apoyo en las tareas domésticas. La <u>Teleasistencia</u>, por su parte, tiene por finalidad la atención a personas mayores que viven solas o que pueden encontrarse en situaciones de emergencia social o sanitaria. Con la misma, se procura, una asistencia sanitaria y social de urgencia que, de otra forma, no hubiera sido posible ofrecer. Por su parte y bajo la rúbrica de <u>Servicios de Proximidad</u>, se engloban una serie de servicios de gran utilidad para las personas mayores, como son: comida a domicilio, el servicio de lavandería, la prestación de ayudas técnicas y otras similares.

- ***Servicios Sociales que abordan la Intervención y el apoyo familiar***: Se pueden definir como el conjunto de actuaciones profesionales, que están dirigidas a facilitar, tanto la convivencia como la integración social de las familias, abordando situaciones de crisis, riesgo o vulnerabilidad familiar, promoviéndose una serie de habilidades básicas, de mediación y de conducta a los componentes de la familia o de las unidades de convivencia, que encuentren dificultades, para atender correctamente las necesidades básicas de autonomía, manutención, protección, cuidado, afecto y seguridad de sus integrantes.

Aquí encontramos, por ejemplo, la intervención y orientación socio-laboral. La <u>intervención y orientación socio-laboral</u>, puede entenderse como el conjunto de actuaciones profesionales de ayuda y apoyo psicoeducativo y psicosocial, para el abordaje y para la resolución de las necesidades, tanto familiares como sociales de los individuos, las familias, los colectivos específicos y también, de las comunidades de pertenencia. Entre otros aspectos que valdría la pena reseñar, encontramos actuaciones encaminadas a la promoción de la parentalidad positiva, además de otras medidas orientadas ante situaciones de conflicto familiar, dificultades psicosociales, riesgo de exclusión social o dinámicas de maltrato en el seno de las familias.

b) Los Servicios Sociales Especializados, por su parte, pueden entenderse como aquellos que se dirigen a determinados sectores poblacionales que, dado por sus condiciones concretas, por su edad, sexo, por el país de origen o por otras circunstancias, ya sean estas de carácter económico o sociocultural, precisan una atención más específica e individualizada, en los diferentes planos y ámbitos técnico-profesionales, que la actuación ofrecida por los Servicios Sociales Generales.

Se definen como aquellos que dan respuesta a situaciones y necesidades que requieren una especialización técnica, la disposición de recursos determinados o un dispositivo que trascienda el ámbito de los Servicios Sociales de Atención Primaria. Estos servicios especializados, podrán gestionarse por las administraciones de las respectivas Comunidades Autónomas, por las entidades locales en su ámbito territorial y por instituciones o asociaciones promovidas por la iniciativa privada y también, pueden llevarse a cabo, por los propios afectados ante determinadas situaciones particulares. Algunos Servicios Sociales Especializados, que pueden ser resaltados son:

- ***Servicios Sociales de Atención Especializada para la Infancia***: Desde los Servicios Sociales de Atención Especializada o especializados y en colaboración y sintonía con las administraciones que participan estrechamente del bienestar en y para los más jóvenes que conforman nuestra sociedad, se han consolidado una serie de protocolos de actuación para situaciones concretas como son: *el maltrato infantil* o los *Menores Extranjeros No Acompañados*.

También encontramos que, los Servicios Sociales de Atención Especializada, se prestan desde alguno o algunos de los siguientes equipamientos; a saber:

- *Centros de Educación Infantil*, siendo estos, espacios favorecedores desde los primeros años de vida, del desarrollo de las capacidades de los y de las más pequeñas, así como la conciliación de la vida familiar y profesional de sus madres y padres.

- *Centros de Día y Ludotecas*, los cuales constituyen recursos de carácter no residencial, que acompañan la trayectoria de intervención familiar con las familias y, en estrecha colaboración con las unidades familiares, ofrecen orientación y apoyo, así como también favorecen la intervención integral de carácter preventivo, en las que se incluyen medidas para el desarrollo personal y social, la formación, la orientación familiar y el ocio.

- *Centros de Protección de Acogida Inmediata*, que se caracterizan por acoger a menores durante un espacio breve de tiempo, en el que se analiza su situación, tanto familiar como psicosocial. *Las Residencias*, que son centros que, ofrecen a los y a las menores, el alojamiento, la convivencia y la educación necesaria, para su adecuado desarrollo, hasta que se haga viable el retorno a su familia o se adopte otro tipo de medida.

- *Casas-Hogares*, que se caracterizan por seguir los patrones habituales que conforman una unidad familiar de tipo medio; estas se ubican en viviendas totalmente integradas en la comunidad.

- *Centros Especializados para Menores Infractores*: la especial atención que requieren aquellos menores que han infringido la ley penal, lleva un trabajo especial de rehabilitación e integración social, en centros residenciales de carácter semiabierto o cerrado, según quede establecido en la correspondiente decisión judicial.

- *Centros Especializados para Menores no Acompañados*, siendo estos centros de atención inmediata y de carácter temporal, para menores nacionales de terceros países, que llegan a España sin venir acompañados de un adulto que los tenga a su cargo, declarados en situación de desamparo provisional o con resolución de ingreso en un centro de protección, dictada por el ministerio correspondiente o por el juez de menores.

- ***Servicios Sociales de Atención Especializada a la familia***: Algunos de estos servicios especializados son:

  - *Mediación Familiar*, que puede entenderse como una actuación coordinada con el resto de servicios del Sistema de Servicios Sociales y con otros sistemas de protección social, en todos los ámbitos necesarios para la atención de conflictos entre los miembros de una familia o de un grupo de convivencia. Puede entenderse, entonces, como la intervención destinada a la gestión de conflictos, entre los integrantes de una familia, en los procesos de separación o divorcio y otros supuestos de conflictividad familiar donde esté indicada. Ello se realiza por intermediación de un procedimiento no jurisdiccional, voluntario y confidencial, posibilitando la comunicación y negociación entre las partes, para que traten de alcanzar un acuerdo viable y estable, y que atienda también, a las necesidades del grupo familiar, con especial focalización en las y los menores de edad, con limitación en la actividad (personas con diversidad funcional) mayores y en situación de dependencia.

  - *Puntos de Encuentro familiar*, por su parte, constituyen un recurso social especializado, para la intervención en aquellas situaciones de conflictividad familiar, en las que la relación de los menores con algún progenitor o algún miembro de la familia, se encuentra interrumpida o es de difícil desarrollo. Los puntos de encuentro familiar, han de estar ubicados en casas o en pisos integrados plenamente en la comunidad, en los cuales debe existir un ambiente normalizado. El equipo técnico se compondrá de personal técnico, con perfiles profesionales de las ramas psicológicas, social, jurídica y educativa. Los miembros del equipo técnico, deberán contar con la formación específica, que incluya contenidos relativos a la mediación, a la orientación familiar, a la terapia familiar o en torno a la violencia de género.

- ***Servicios de Atención Social Especializada para Personas Mayores***. Entre este tipo de servicios, aunque en realidad son muy heterogéneos los mismos, podemos reseñar los siguientes:

    - *Centro de Mayores*, entendidos como centros de reunión, esparcimiento, ocio, tiempo libre y actividades de todo tipo (cafeterías, bibliotecas, pintura, juegos diversos, bailes, entre otros), incluso fisioterapia de mantenimiento y terapia ocupacional, para personas mayores activas; entre las muchas actividades que se realizan en estos centros, encontramos las Aulas de Informáticas o las Prácticas de Senderismo.

    - *Pisos Tutelados*, que son viviendas normales, dentro de un edificio común, que se ofrecen a las personas mayores cuando estas, por no tener vivienda donde permanecer, no disponen de un lugar en el cual residir; constituye una especie de situación intermedia, entre la permanencia en el domicilio y la estancia en una residencia para personas mayores válidas.

    - *Vacaciones para Mayores*, que tienen como objetivo facilitar la incorporación de las personas mayores a las corrientes turísticas, al tiempo que paliar las consecuencias que, en torno al empleo, produce el fenómeno de la estacionalidad en el sector del turismo; el *Termalismo Social*, que proporciona a los y a las pensionistas, que por prescripción facultativa precisen los tratamientos que se prestan en los balnearios y que reúnan determinados requisitos, el acceso a estos establecimientos a precios reducidos.

    - *Universidad para Mayores*, que pretende crear un espacio académico de carácter universitario, al que puedan acceder las personas mayores, de forma que se contribuya a su integración social, al mejoramiento de su calidad de vida y de forma específica, a la ampliación de sus conocimientos y de su nivel formativo.

- ***Servicios Especializados para Personas Mayores en Situación de Dependencia***: Servicios de *Centros de Día* y *Centros de Noche*.

    - *Centro de Día*, también denominado unidad de estancia diurna en residencias, puede entenderse como un centro gerontológico terapéutico y de apoyo a la familia que, de forma ambulatoria, presta atención integral y especializada a la persona mayor en situación de dependencia, promueve su autonomía y favorece la permanencia en su entorno habitual, así como su calidad de vida.

    - *Centros de Noche* o como también se les denomina, unidades de estancia nocturna, por su parte, son centros de carácter social que ofrecen alojamiento y atención en horarios nocturnos, a personas mayores en situación de dependencia y que tienen una función complementaria a la permanencia de la persona usuaria o destinataria de la acción profesional, en el entorno social y/o familiar.

- *Servicios de Atención Residencial*, son centros de estancia permanente o temporal, que ofrecen servicios de alojamiento, manutención, pero también terapéuticos, de prevención, habilitación personal, rehabilitación, cuidados de enfermería y cuidados personales; en ellos, resulta imprescindible la presencia de profesionales tales como: Médicos, Psicólogos, Fisioterapeutas, Logopedas, Trabajadores y Trabajadoras Sociales, Terapeutas Ocupacionales y otros profesionales afines.

- **Servicios Especializados para la Población Inmigrante**:
  - *Oficinas de Extranjería*, donde se trata de informar y normalizar la situación administrativa de la persona inmigrante, en los aspectos relacionados con su residencia y trabajo; estas oficinas han permitido unificar en un mismo centro administrativo, los procedimientos que anteriormente se iniciaban en distintas sedes administrativas como, por ejemplo, en la administración de trabajo o en la policía.
  - *Centros para Inmigrantes*: estos centros desarrollan tareas de información, acogida, atención, intervención social y formación o, en su caso específico, se realizan derivaciones hacia otros recursos especializados.
  - *Centros de Acogida Temporal*, que son puestos en marcha fundamentalmente por las respectivas Comunidades Autónomas y por las Administraciones Locales y buscan cubrir las necesidades primarias, tales como alojamiento, manutención, información y orientación, de los y de las inmigrantes en situación de emergencia o vulnerabilidad social.
  - *Centros de Apoyo a la Integración y Participación de los Inmigrantes*, que constituyen dispositivos de apoyo de segundo nivel, que complementan la atención social básica de los servicios de atención social primaria y tiene como objetivos-metas, apoyar la intervención técnica de estos últimos, prestar atención social, de emergencia y, para inmigrantes en riesgo de exclusión y cada vez con mayor frecuencia, servicios de mediación intercultural y sociolaboral.

2.3. Los Servicios Sociales en la Comunitat Valenciana: la Ley 3/2019 de Servicios Sociales Inclusivos.

Como ha quedado explicitado previamente, cada autonomía es responsable de regular su propio sistema en materia de Servicios Sociales, rigiéndose en este caso, la Comunidad Valenciana por la Ley 3/2019, de 18 de febrero, de Servicios Sociales Inclusivos de la Comunitat Valenciana, la que ha sido definida como: "la primera ley en España de cuarta generación", por medio de la cual se pasa de un sistema esencialmente asistencialista, a uno de derechos subjetivos y universal. También, con esta ley valenciana se "blindan los derechos sociales" y se garantiza el derecho de las personas, mediante un catálogo amplio, a medida e inclusivo, de prestaciones.

Hemos de reconocer que, esta ley, trata de superar las limitaciones y disfuncionalidades que existían, en el ordenamiento jurídico previo al dictado y puesta en escena de la misma, fundamentalmente en materia de coherencia, coordinación y organización, a lo que habría que añadir la ausencia del reconocimiento de un verdadero derecho subjetivo, previo a la aparición de esta Ley Valenciana de Servicios Sociales Inclusivos. También, ha de ser destacado que el proyecto normativo se caracterizó por un amplio proceso de consenso y participación social, el cual estuvo en cada momento supeditado al principio de transparencia en cada una de sus fases, lo que ha permitido aportar en la construcción del Sistema Público Valenciano de Servicios Sociales, que se extiende a la totalidad de la población que reside efectivamente en la Comunidad Valenciana, con la pretensión manifiesta de garantizar la inclusión social, de forma inherente en todas las actuaciones de los Servicios Sociales.

La Ley de Servicios Sociales Inclusivos de la Comunitat Valenciana, se enmarca en el proceso de construcción de una compilación de normas de carácter autonómico en materia social: un código social valenciano compuesto por un conjunto de normas que integre y oriente las políticas sociales, y cuyo impulso garantice los derechos fundamentales de la ciudadanía. A nuestro juicio, ello es fundamental, porque permite garantizar un soporte no solo legislativo, sino también ético, que dará solvencia e irradiará un espacio de posibilitación al desarrollo pleno de los Servicios Sociales Valencianos, como estructura destinada a la consecución de los diferentes objetivos de las políticas públicas en materia de Servicios Sociales, los que estarán orientados hacia la igualdad, la equidad y la promoción de la justicia social, el desarrollo humano, el enfoque comunitario, la perspectiva de género y de la infancia, la no discriminación y la igualdad en la diversidad, y se regirán por los siguientes principios rectores:

1. **Principios de carácter general y transversal.**

    a) *Universalidad.*

    b) *Responsabilidad pública.*

    c) *Responsabilidad institucional en la atención.*

2. **Principios orientadores de la intervención.**

   a) Prevención.

   b) Promoción de la autonomía y desarrollo personal.

   c) Promoción de la inclusión y de la cohesión social.

   d) Perspectiva comunitaria.

3. **Principios de carácter metodológico.**

   a) Orientación centrada en la persona.

   b) Promoción de la intervención y la integración.

   c) Interdisciplinariedad de las intervenciones.

   d) Calidad y profesionalidad en la provisión de los servicios.

4. **Mínima restricción de la movilidad personal y de la plena conciencia.** Solo se emplearán en el ámbito de los Servicios Sociales, cuando existan evidencias de agravamiento o deterioro de la situación de vulnerabilidad de la persona y siempre que exista peligro para ella y para terceras personas, aquellas medidas de inmovilización o restricción física o farmacológica que sean prescritas médicamente y bajo supervisión tras haberse agotado todos los recursos de las personas profesionales, de conformidad con los protocolos específicos, así como la normativa vigente y las recomendaciones en materia de derechos humanos.

5. **Principios de gestión de carácter territorial, administrativo y organizacional.**

   a)   Eficiencia y eficacia.

   b)   Descentralización, desconcentración, enfoque municipalista y de proximidad.

   c)   Equidad territorial.

   d)   Participación democrática en el Sistema Público Valenciano de Servicios Sociales.

   e)   Planificación y evaluación de las prestaciones.

   f)   Colaboración, coordinación y cooperación con otros sistemas y servicios públicos.

   g)   Innovación:

Las actuaciones del Sistema Público Valenciano de Servicios Sociales, se orientarán hacia el cumplimiento de los siguientes objetivos: Garantizar una atención integral, de carácter individual, familiar, grupal o comunitaria, a las personas que accedan al Sistema Público Valenciano de Servicios Sociales, que dé cobertura a sus necesidades sociales. Prevenir y detectar situaciones de riesgo y analizar situaciones de vulnerabilidad social de la ciudadanía. Mejorar las condiciones de calidad de vida de la población, por medio de la elaboración de las estrategias y las actuaciones pertinentes. Concienciar y sensibilizar a la ciudadanía sobre las situaciones de vulnerabilidad social, con el fin de combatir cualquier tipo de discriminación, fomentando valores como la solidaridad y la igualdad. Proteger y atender, de forma personalizada y continuada, a las personas, familias o unidades de convivencia que se encuentren en situaciones de vulnerabilidad, dependencia o conflicto. Garantizar la provisión de prestaciones en materia de servicios sociales en condiciones de calidad, eficiencia y equidad territorial. Fomentar la investigación, la gestión de conocimiento, su transferencia aplicada y la innovación social en el ámbito de los servicios sociales.

Estos objetivos remarcados a priori, se consideran objetivos compartidos con el resto de los sistemas y las políticas públicas, donde se pretende favorecer, desde la coparticipación y la corresponsabilidad, la inclusión social de las personas y grupos en la comunidad, así como fomentar el asociacionismo solidario, el acompañamiento, el voluntariado, la ayuda mutua y la participación ciudadana.

El Sistema Público Valenciano de Servicios Sociales, para la consecución de sus objetivos, con equidad, calidad y eficiencia, se estructura funcionalmente en dos niveles de atención, mutuamente complementarios y de carácter continuo, integrado y sinérgico: **atención primaria** y **atención secundaria.**

La **atención primaria** se configura como el primer nivel, por proximidad, de acceso al Sistema Público Valenciano de Servicios Sociales. En ellas se distinguen dos niveles de actuación: de carácter básico y de carácter específico. La atención primaria de carácter básico es generalista y polivalente, mientras que la atención primaria de carácter específico, se caracteriza por la singularidad de la atención e intervención requerida y ofrecida, en función de la naturaleza de las situaciones y de la intensidad de las prestaciones.

Por su parte, **la atención secundaria** se configura como el segundo nivel para la provisión de prestaciones y servicios especializados que refuercen la atención primaria, cuando se requiera una intervención integral de mayor intensidad y sostenida en el tiempo.

En cuanto a la estructura territorial del Sistema Público Valenciano de Servicios Sociales encontramos que, el mismo se organiza territorialmente en las siguientes demarcaciones: Zonas básicas de Servicios Sociales, Áreas de Servicios Sociales y Departamentos de Servicios Sociales. Por su parte, el Mapa de Servicios Sociales de la Comunitat Valenciana, debe delimitar y desarrollar las demarcaciones territoriales anteriores, de acuerdo con lo dispuesto en la mencionada Ley de Servicios Sociales Inclusivos. El mencionado mapa, será el instrumento que establecerá la organización territorial del Sistema Público Valenciano de Servicios Sociales que, a su vez, será el marco de referencia para la planificación del sistema.

En la elaboración del Mapa de Servicios Sociales de la Comunitat Valenciana, se tendrán en cuenta aspectos como la baja densidad demográfica, la alta dispersión geográfica y el riesgo de despoblación, con objeto de garantizar una oferta de prestaciones y servicios, equivalente al existente en todo el territorio, y pudiendo establecerse para ello medidas de discriminación positiva, de acuerdo con umbrales de población y ratios de profesionales. Asimismo, se seguirá una ordenación racional donde se garantice la máxima calidad en la prestación del servicio y se optimicen los recursos.

Las prestaciones del Sistema Público Valenciano de Servicios Sociales podrán ser: *Prestaciones profesionales, Prestaciones económicas y Prestaciones tecnológicas.*

Entre las Prestaciones profesionales garantizadas, encontramos: Información, orientación y asesoramiento; Análisis y valoración de las situaciones de necesidad; Orientación individual, familiar o de la unidad de convivencia; Intervención familiar o de la unidad de convivencia; Prevención; Mediación familiar y comunitaria; Apoyo a la mediación judicial; Atención domiciliaria; Atención psicosocial y socioeducativa; Intervención y participación comunitaria; Promoción de la animación comunitaria y de la participación; Atención a las necesidades básicas; Atención de las situaciones de urgencias sociales; Promoción de la accesibilidad universal en el sistema, Reconocimiento de discapacidad; Apoyo a la inclusión social; Protección jurídica y social; Acogida de la infancia y la adolescencia; Adopción; Alojamiento alternativo; Atención diurna o ambulatoria; Atención temprana; Viviendas colaborativas; Atención nocturna; Atención residencial y Apoyo a personas cuidadoras.

El Catálogo de Prestaciones del Sistema Público Valenciano de Servicios Sociales incluye las siguientes prestaciones profesionales, condicionadas estas para aquellas situaciones que no se incluyen en las mencionadas previamente: Alojamiento alternativo; Atención diurna o ambulatoria; Atención nocturna; Orientación socioeducativa; Atención residencial.

En el mencionado Catálogo de prestaciones del Sistema Público Valenciano de Servicios Sociales, también se incluyen las siguientes *prestaciones económicas garantizadas*, en los términos establecidos normativamente: Garantía de ingresos básicos. Prestaciones económicas destinadas a cubrir las necesidades básicas y paliar las situaciones de urgencia social y desprotección, así como promover la autonomía personal. Prestación económica por acogida familiar. Prestación económica vinculada al servicio. Prestación económica para cuidados en el entorno familiar. Prestación económica de asistencia personal. Prestación económica para la adquisición y el mantenimiento de apoyos a la accesibilidad universal. Prestación económica para las víctimas de violencia de género y machista.

Por último, encontramos que, las *prestaciones tecnológicas* prevén las ayudas técnicas instrumentales para la autonomía personal y la comunicación, movilidad, transporte y apoyo a la accesibilidad universal, con el objetivo de mantener a la persona en su entorno habitual con un nivel adecuado de autonomía personal. Entre estas modalidades, estará garantizada y será gratuita la prestación de atención telefónica para la protección social, que tiene por objeto ofrecer asistencia telefónica permanente destinada a la gestión de las demandas realizadas en relación a una situación de riesgo o desprotección, así como ofrecer información y asesoramiento social y, en su caso, jurídico, así como la derivación a la prestación procedente, en su caso.

Aspecto de relevancia cardinal en la ley, es el desarrollado en el Capítulo IV de la misma, el cual está dedicado a *la intervención de las personas profesionales de servicios sociales e instrumentos técnicos*. En este sentido e intentando ser sintéticos en la propuesta que compartimos, vemos que el equipo de personas profesionales de la zona básica de servicios sociales, constituye el núcleo de intervención del Sistema Público Valenciano de Servicios Sociales y que estará compuesto por el equipo de intervención social, personas profesionales de las unidades de igualdad y por personas profesionales de apoyo jurídico y administrativo.

El mencionado equipo de intervención social, estará formado por personas con titulación universitaria en las disciplinas o las áreas de conocimiento de trabajo social, educación social y psicología, además de por personas con formación profesional en integración social, aunque también podrán incorporar otras figuras profesionales con titulaciones universitarias en pedagogía y otras disciplinas o áreas de conocimiento procedentes de los ámbitos de las ciencias sociales y de la salud, entre otros afines.

Por su parte, la intervención en el Sistema Público Valenciano de Servicios Sociales, consiste en la atención integral centrada en la persona, familia o unidad de convivencia, desde un enfoque de desarrollo positivo y efectiva participación de la persona en el proceso de intervención, así como de las personas menores de edad, en su caso.

A su vez, en el artículo 69 de la mencionada ley, se define a la *persona profesional de referencia*, siendo esta quien será referencia (como su propio nombre lo indica), en tanto trabajador o trabajadora social, a la hora de que la persona usuaria, que tendrá derecho a la misma, pueda acceder al sistema de atención primaria. En este caso, el equipo de profesionales de servicios sociales, determinará, en función de las necesidades de la persona usuaria, la persona profesional de referencia de intervención social, en aras del interés superior del ciudadano o ciudadana.

Entre las disposiciones generales más destacables en la Ley de Servicios Sociales Inclusivos de la Generalitat Valenciana, encontramos que: las administraciones públicas competentes en materia de servicios sociales, garantizarán la existencia de vías efectivas que faciliten la participación cívica en la planificación, el funcionamiento y la evaluación del Sistema Público Valenciano de Servicios Sociales, con el objeto de integrar los procesos deliberativos en la toma de decisiones y adecuar el sistema a las necesidades y a la diversidad de las personas en el proceso de participación a lo largo de su ciclo vital.

La participación cívica en el Sistema Público Valenciano de Servicios Sociales, se articulará por medio de los órganos de participación ciudadana y de los procedimientos participativos que establece esta ley, la participación en el ámbito de los centros, el voluntariado social o cualquier otra acción que sea pertinente. Sin perjuicio de la coordinación con la Mesa de Diálogo Civil, así como con la Mesa de Diálogo Social y cualquier otro órgano de participación, en el ámbito de las políticas inclusivas y los derechos sociales, que pueda crearse en un futuro.

Para concluir, con el breve análisis que hemos realizado, en lo relativo a la Ley Valenciana de Servicios Sociales Inclusivos, creemos necesario resaltar el valor que, en el marco del Sistema de Servicios Sociales, se le otorga a *Calidad en los Servicios Sociales,* aspecto este que constituye un principio y un objetivo prioritario de los servicios sociales valencianos, para lo cual las administraciones públicas valencianas promoverán la mejora de la calidad del Sistema Público Valenciano de Servicios Sociales y, en especial, la calificación y la formación del personal empleado público, la investigación y los avances sociales.

2.4. Conclusiones

Desde su propia génesis, el Sistema Público de Servicios Sociales ha experimentado un permanente movimiento y una evolución incesante. En los momentos actuales, podemos decir que las prestaciones dentro del sistema, se van configurando en dos grandes grupos: *garantizadas*, en cuanto factibles de ser exigidas siempre por los ciudadanos y ciudadanas, al ser de derecho subjetivo pleno; y *no garantizadas*, que solamente pueden exigirse en la medida en que exista disponibilidad presupuestaria para ello.

Todavía no existe en España, a día de hoy, una Ley General de Servicios Sociales, que unifique e integre en su corpus, las distintas legislaciones y reglamentaciones autonómicas al respecto, pero si podemos hablar de similitudes a lo largo y ancho de la geografía española, en lo relativo al carácter universal de los mismos y también, en torno a la finalidad manifiesta de estos, que buscan alcanzar el mayor bienestar posible y la consiguiente mejora en la calidad de vida, de las personas y de los colectivos sociales, en los que dichos individuos se insertan activamente.

El desarrollo de los servicios sociales en la actualidad, nos ha llevado a que, conjuntamente con las prestaciones técnicas o de servicios existen, conjuntamente, las prestaciones económicas y en algunos casos, como en la mencionada Ley Valenciana de Servicios Sociales Inclusivos, también se concretan las prestaciones tecnológicas. Además, para el cumplimiento de los distintos fines y en sus variados ámbitos, los servicios sociales disponen de diferentes recursos y equipamientos, que facilitan el cumplimiento de los objetivos trazados. Por ejemplo, en el nivel de atención social primaria, el equipamiento base es el Centro Municipal de Servicios Sociales, que se complementa por las unidades de trabajo social y en el nivel de atención especializada, existen diversos centros, cuya diferencia viene marcada por las distintas características de los usuarios a quienes se destinan.

Por su parte, encontramos que, en los últimos años, adquiere una mayor relevancia e impronta, lo relativo a la calidad de los servicios sociales, tanto en lo referente a la formación y a la cualificación del personal técnico que presta sus servicios en ellos, como en lo concerniente a otros aspectos relacionados con las instalaciones, la organización del trabajo o la remuneración del mismo, por solo hacer algunas menciones imprescindibles.

A modo de cierre necesario, podemos decir que los Servicios Sociales ocupan un lugar preponderante en nuestro Sistema de Bienestar, porque fomentan una serie de actuaciones, valores, principios y directrices, que tienen como colofón, una búsqueda consciente y planificada de dar parto a una realidad social diferente, más inclusiva, cohesionadora, democrática y justa.

EJERCICIO 1: Identifique cuatro puntos fuertes y dos limitaciones que plantee la Ley 3/2019 de Servicios Sociales Inclusivos de la Comunitat Valenciana. Razone críticamente tu respuesta. Puede consultar la mencionada ley y la web de la Conselleria d'igualtat i Polítiques Inclusives.

EJERCICIO 2: Defina qué entiende por Servicios Sociales Generales o Comunitarios y mencione algunos de los servicios o actuaciones que conforman a los mismos.

EJERCICIO 3: Defina la Mediación Familiar y los Puntos de Encuentro Familiar. Establezca las principales diferencias entre ambos servicios especializados.

Capítulo 3. LA SEGURIDAD SOCIAL: AVAL DE LA PROTECCIÓN SOCIAL

Alejandro Gil-Salmerón
Instituto de Investigación Polibienestar
Universitat de València

Enric Sigalat
Universitat de València

Angel Joel Mendez López
Universitat de València

José-Javier Navarro-Pérez
Universitat de València

3.1. La Seguridad social como sistema de bienestar

3.1.1. Los sistemas de seguridad social.

El proceso de formación de los Sistemas de Seguridad Social surge desde finales del siglo XIX hasta la época actual, cuando grupos y organizaciones de trabajadores establecieron mecanismos de protección mutua que alcanzaron gradualmente a todos los sectores productivos, hasta llegar a la protección social de toda la población. Los orígenes de la seguridad social pueden situarse en la Alemania de Guillermo I. *La ley del Seguro de Enfermedad, en 1883* se puede considerar como el embrión de la futura Seguridad Social.

El punto de partida de las políticas de protección social en España se puede situar en la *Comisión de Reformas Sociales* que se encargó del estudio de cuestiones que interesasen a la mejora y bienestar de la clase obrera. El impulso definitivo originario de la Seguridad Social concebida como un sistema integral de protección social se produce en 1941, a propuesta del británico William Beveridge.

La Declaración Universal de los Derechos Humanos, aprobada por la Asamblea General de las Naciones Unidas en 1948, proclamó el derecho a la Seguridad Social en su artículo 22. En Europa, los beneficios de la Seguridad Social son más generosos que en el resto del mundo. En España, en 1963 se estableció la *Ley de Bases de la Seguridad Social*, cuyo objetivo principal fue la implantación de un modelo unitario e integrado de protección social.

La primera gran reforma en España se produce con la publicación del Real Decreto Ley 36/1978, de 16 de noviembre, creando un sistema de participación institucional de los agentes sociales favoreciendo la transparencia y racionalización de la Seguridad Social, así como el establecimiento de un nuevo sistema de gestión.

El artículo 41 de la Constitución de 1978 establece la confluencia del modelo contributivo y del asistencial. El citado artículo determina que los poderes públicos mantendrán un régimen público de Seguridad Social para todos los ciudadanos.

En la década de los 80 se llevaron a cabo una serie de medidas encaminadas a mejorar y perfeccionar la acción protectora al extender las prestaciones a los colectivos no cubiertos y dar una mayor estabilidad económica al sistema.

La década de los noventa supuso una serie de cambios sociales que afectaron a cuestiones muy variadas y que tuvieron su influencia dentro del sistema de Seguridad Social: cambios en el mercado de trabajo, mayor movilidad en el mismo, incorporación de la mujer al mundo laboral etc., que hicieron necesario adaptar la protección a las nuevas necesidades surgidas. En 1995 se firmó el **Pacto de Toledo**, con el apoyo de todas las fuerzas políticas y sociales, que tuvo como consecuencia importantes cambios y el establecimiento de una hoja de ruta para asegurar la estabilidad financiera y las prestaciones futuras de la Seguridad Social.

La implantación de las prestaciones no contributivas, la racionalización de la legislación de la Seguridad Social (llevado a cabo a través del nuevo Texto Refundido de 1994), la mayor adecuación entre las prestaciones recibidas y la exención de cotización previamente realizada, la creación del Fondo de Reserva de la Seguridad Social, la introducción de los mecanismos de jubilación flexible y de incentivación de la prolongación de la vida laboral, o las medidas de mejora de la protección, en los supuestos de menor cuantía de pensiones, son manifestaciones de los cambios introducidos a partir de la firma del citado Pacto de Toledo.

En los últimos años la Seguridad Social ha adaptado su gestión a la aparición de las nuevas tecnologías, el auge de los servicios por vía telemática y a la constante incorporación y optimización de servicios vía internet.

El objetivo final de los regímenes de Seguridad Social es abonar prestaciones por cotizaciones. La Seguridad Social engloba una modalidad contributiva, de ámbito profesional y financiación según las cotizaciones de los afiliados; y una modalidad no contributiva, de ámbito universal y financiación a cargo de aportaciones de los Presupuestos Generales del Estado.

3.1.2. Antecedentes, origen y evolución.

a) Antecedentes

Los sistemas de Seguridad Social son el resultado de un dilatado proceso histórico originado por la necesidad de eliminar o aminorar las facturas sociales excluyentes que separan bienestar de vulnerabilidad, exclusión y pobreza.

En el contexto de la primera revolución industrial, el trabajador se encontraba en una situación de desprotección absoluta frente a los riesgos y contingencias sociales excluyentes, las jornadas de trabajo extenuantes, los salarios irrisorios y la imposibilidad legal de organizarse colectivamente en defensa de sus derechos. La coalición profesional estaba considerada como un tipo de asociación ilícita, catalogada como delito.

Los sistemas iniciales de protección social estuvieron vinculados a fórmulas basadas en el ahorro privado, la mutualidad, el seguro privado, la responsabilidad civil y la asistencia pública. Todos ellos dotados de una manifiesta insuficiencia de capacidad preventiva y protectora

El mutualismo originariamente diseñado como un sistema de ayuda mutua por medio de asociaciones entre los miembros de determinadas profesiones u oficios también tuvo una escasa incidencia social inclusiva. El seguro privado surgió a finales del siglo XIX, y fue concebido como un contrato de derecho privado.

La responsabilidad de los riesgos profesionales se basó en la teoría del riesgo defendida por Salleilles y Josserand, en Francia, a finales del siglo XIX. Implicaba que el empresario asumía el riesgo del daño que sufrían los trabajadores que estaban a su servicio, aun cuando no existiera responsabilidad alguna de este

El proceso de formación de los sistemas de Seguridad Social surge a finales del siglo XIX hasta la época actual, cuando grupos y organizaciones de trabajadores establecieron mecanismos de protección mutua que alcanzaron gradualmente a todos los sectores productivos, hasta llegar a la protección social de toda la población contra diversas contingencias tales como la enfermedad, la maternidad, los accidentes, la vejez o la muerte.

b) Origen y evolución.

La dimensión internacional originaria que impulsa la tendencia de implantación de los sistemas de Seguridad Social se vincula a la organización Internacional del Trabajo (OIT) fundada en 1919, en el marco de las negociaciones que se abrieron en la conferencia de la paz (París, 1919).

Los gobiernos, los sindicatos y las organizaciones de empleadores, tomaron como base la Asociación Internacional para la Protección Legal de los Trabajadores que habían sido creada en Basilea en 1901, con el fin de establecer la constitución de la Organización Internacional del Trabajo. La OIT se organizó desde un principio con un Gobierno tripartito integrado por representantes de los gobiernos, los trabajadores y los empleadores.

Entre 1919 y 1921 la OIT sancionó 16 convenios internacionales del trabajo y 18 recomendaciones, y en 1926 introdujo un mecanismo de control, aún vigente, por el cual cada país debía presentar anualmente una memoria informando sobre el estado de aplicación de las normas internacionales. Desde su creación, la OIT promueve políticas y ofrece a los Estados miembros instrumentos y asistencia, con el objetivo de mejorar y extender la cobertura de la protección social a una gama completa de contingencias.

En 1919, durante la vigencia de la República de Weimar en Alemania, la protección social alcanzó un rango constitucional que otorgó un papel más activo y amplió el estado: que superaba el ámbito específico de la Seguridad Social, para contemplar intervenciones en otros ámbitos como el de la vivienda y la educación.

Tras el crack bursátil de 1929, y con la presidencia de Franklin D. Rossevelt, en 1935 se estableció el seguro de desempleo mediante una Ley Federal de Seguridad Social, qué concibió un sistema mixto de seguros sociales y de asistencia estatal; pero el impulso definitivo originario de la Seguridad Social se produce en 1941, cuando el británico William Beveridge elaboró un informe, a petición del Gobierno laborista, en el que propuso un modelo de reconstrucción para el periodo de posguerra. El documento, titulado *Report to the parliament on social insurance and allied Services*, precisó que todo ciudadano en edad laboral debía pagar una serie de tasas sociales semanales, con el objetivo de poder establecer una serie de prestaciones en caso de enfermedad, paro, jubilación etc. El *Informe Beveridge* consagró la Seguridad Social como un sistema de bienestar al dotarlo de un carácter integral y universal y extender sus beneficios a toda la población.

El plan Beveridge incluyó un sistema de Seguridad Social unitario que asumía los siguientes ámbitos prestacionales:

- Las pensiones por enfermedad, mortandad, maternidad, vejez, viudez y desempleo.
- Un Servicio Nacional de salud destinado a la atención médica gratuita con cobertura universal.
- Un sistema de asistencia nacional orientado a completar los subsidios de la Seguridad Social cuando fueran insuficientes con el fin de lograr el mínimo de subsistencia deseado.
- Los beneficios se extendieron a la educación, vivienda y atención especializada a niños.

3.2. Desarrollo: La seguridad social en España.
3.2.1. Origen y evolución.

El punto de partida de las políticas de protección social en España se puede situar en la *Comisión de Reformas Sociales* (1883) Que se encargó del estudio de cuestiones de interés a la mejora y bienestar de la clase obrera. La creación de esta comisión significa el primer intento de institucionalizar en España la llamada cuestión social, ya que marcó un punto de inflexión positivo en la actuación del Estado sobre las cuestiones sociales. Al mismo tiempo fue un precedente del intervencionismo científico y social en el trabajo. Se puede considerar la primera piedra de la protección social española, cuyos efectos dieron lugar a la Fundación del *Instituto Nacional de Previsión* en 1908 y a la creación del *Ministerio de Trabajo* en 1920.

La Comisión de Reformas Sociales también se dedicó al estudio de las peticiones de los trabajadores y entre sus resultados podemos mencionar la propuesta de la ley de accidentes de trabajo de 31 de enero de 1900. En 1908 se implementó el primer *Seguro Social* y el *Instituto Nacional de Previsión* en el que se integraron las cajas que gestionaban los seguros sociales.

3.2.2. La ley de Accidente de Trabajo de 31 de enero de 1900

En 1906, se estableció la *Inspección de Trabajo* y su reglamento, cuya función principal fue la fiscalización del cumplimiento de la *Ley de Accidentes de Trabajo* de 1900. En 1912, se aprobó la *Ley de la Silla*, norma con la que se comenzó a regular la obligación de los empresarios de conceder una silla a las trabajadoras durante el desarrollo de la actividad laboral.

La Constitución de la Segunda República Española supuso un avance notable en el reconocimiento y defensa de los derechos humanos. Un tercio de su articulado se consagró a recoger y proteger los derechos y libertades individuales y sociales.

Entre los principios que la Constitución de 1931 incorporó se pueden destacar:

- o Igualdad de los españoles ante la ley.
- o Laicidad que supuso una separación entre la Iglesia y el Estado.
- o Posibilidad de expropiación forzosa de cualquier tipo de propiedad, a través de una indemnización, para una utilización social, o para la posibilidad de nacionalizar los servicios públicos.

En relación con las iniciativas concebidas y dirigidas al cambio social inclusivo caben destacar:

- o En 1932 se estableció que el seguro, hasta entonces de carácter voluntario, se transforma en obligatorio.
- o La *Ley del Contrato de Trabajo* de 1931.
- o La *Ley de Seguro Obligatorio de Trabajo* de 4 de julio de 1932.
- o La ley de 13 de julio de 1936, donde se obliga a asegurar al trabajador ante la enfermedad profesional.

3.2.3. Ley de bases de la Seguridad Social de 1963

En 1963 se estableció la ley de bases de Seguridad Social cuyo objetivo principal fue la implantación de un modelo unitario e integrado de protección social con una base financiera de reparto, gestión pública y participación del Estado en la financiación. A pesar de esta definición de principios aun persistieron algunos hándicaps que mermaron las condiciones de los trabajadores:

- o Permanencia de antiguos sistemas de cotización alejados de los salarios reales de trabajadores.
- o Ausencia de revalorizaciones periódicas.
- o La tendencia a la unidad no se plasmó al solaparse algunos organismos que ralentizaron mejores garantías.

La ley de financiación y perfeccionamiento de la acción protectora de 1972, intentó corregir sin éxito los problemas financieros existentes. La primera gran reforma se produce con la publicación del *Real Decreto Ley* 36/1978, de 16 de noviembre, que crea un sistema de participación institucional de los agentes sociales, así como el establecimiento de un nuevo sistema de gestión realizado por los siguientes organismos:

- o *El Instituto Nacional de la Seguridad Social*, para la gestión de las prestaciones económicas del sistema.
- o *El Instituto Nacional de Salud*, para las prestaciones sanitarias.
- o *El Instituto Nacional de Servicios Sociales*, para la gestión de los servicios sociales.
- o *El Instituto Social de la Marina*, para la gestión de los trabajadores del mar.
- o La *Tesorería General de la Seguridad Social*, como caja única del sistema actuando bajo el principio de solidaridad financiera.

La Seguridad Social en la Constitución española de 1978 aparece en el artículo 41, señalando la confluencia del modelo contributivo con el asistencial. El citado artículo establece: *"Los poderes públicos mantendrán un régimen público de Seguridad Social para todos los ciudadanos, que garantice la asistencia y prestaciones sociales suficientes ante situaciones de necesidad, especialmente en caso de desempleo. La asistencia y prestaciones complementarias serán libres."*

3.3. El sistema de Seguridad Social a partir de 1980.

En la década de los ochenta se llevaron a cabo una serie de medidas encaminadas a mejorar y perfeccionar la acción protectora, al extender las prestaciones de los colectivos no cubiertos y dar una mayor estabilidad económica al *Sistema de Seguridad Social*. En esta década, se crea la *Gerencia de Informática de la Seguridad Social*, para coordinar y controlar la actuación de los servicios de informática y proceso de datos de las distintas entidades gestoras.

La década de los noventa supuso una serie de cambios sociales que tuvieron su influencia dentro del *Sistema de Seguridad Social*: cambios en el mercado de trabajo, incremento de la movilidad en el mismo, incorporación de la mujer al mundo laboral, etc. En 1995 el **Pacto de Toledo**, constituido inicialmente como una comisión parlamentaria cuyo objetivo fue analizar el estado de las pensiones y proponer medidas para la mejora del sistema. El paquete de medidas se planteó con objeto de:

- Reducir la presión a la que estaba sometido el presupuesto de la Seguridad Social.
- Separar las diferentes fuentes de financiación de las prestaciones, dejando las llamadas prestaciones no contributivas y universales (sanidad, servicios sociales, etc.) a cargo de la imposición general (Presupuestos generales del Estado), y las pensiones contributivas a cargo de un sistema de cotizaciones sociales (Seguridad Social); esto produjo un cambio importante en cuanto que se pasó de un sistema de reparto puro a un sistema en el que se cobra en función de la cotización (en lo que a prestaciones contributivas se refiere).

Para paliar desequilibrios que pudieran producirse en tiempos de crisis, se planteó la creación de fondos de reserva durante periodos de bonanza destinados a eliminar la necesidad de aumentar las contribuciones a la seguridad social para mantener las prestaciones en tiempos de crisis. Estos fondos son títulos públicos adquiridos en los mercados oficiales.

EL Pacto de Toledo o también conocido como *"Acuerdo por las Pensiones"*, favoreció importantes consecuencias, cambios y el establecimiento de una hoja de ruta para asegurar la estabilidad financiera y las prestaciones futuras de la Seguridad Social.

En los últimos años la Seguridad Social también se ha adaptado a la aparición de las nuevas tecnologías, el auge de los servicios por vía telemática y a la constante incorporación y optimización de servicios vía internet.

3.3.1. Entidades gestoras y servicios comunes de la Seguridad Social en España.

Entidades Gestoras.

Son entes públicos, con personalidad jurídica propia. Se crearon para llevar a cabo, bajo la dirección y tutela del Ministerio de Trabajo y Seguridad Social, la gestión y administración de las prestaciones concedidas por el sistema de la Seguridad Social. Las entidades que gestionan La Seguridad Social en España son:

- *Instituto Nacional de la Seguridad Social*, se ocupa de la gestión y administración de las prestaciones económicas del sistema de la Seguridad Social. En él se integraron las mutualidades laborales, que dejaron de tener la condición de entidad gestora y perdieron su personalidad jurídica.
- *Instituto Nacional de salud*, encargado de la administración y gestión de los servicios sanitarios.
- *Instituto Nacional de Servicios Sociales*, creado para la gestión y administración de servicios complementarios de las prestaciones del sistema de la Seguridad Social.
- *Instituto Social de la Marina*, que gestiona el régimen especial de los trabajadores del mar.

Los servicios comunes

Los servicios comunes son entes públicos creados para desarrollar la coordinación administrativa e implementar funciones auxiliares y complementarias de la gestión de la Seguridad Social. Tienen atribuidas funciones tanto en el régimen general, como en el régimen especial. Son:

- *Tesorería General de la Seguridad Social.* A la que le compete la gestión de los recursos económicos y la administración financiera del sistema, en aplicación de los principios de solidaridad financiera y caja única.
- *Gerencia de Informática.* Cuyo objetivo es dirigir, coordinar y controlar la creación, composición y actuación de los servicios de informática y proceso de datos de las distintas entidades gestoras y servicios comunes de la Seguridad Social.

3.4. Estructura del sistema de la Seguridad Social

3.4.1. Régimen general

Con carácter global, el Régimen General comprende a los trabajadores por cuenta ajena de las distintas ramas de la actividad económica o asimilados a ellos, mayores de 16 años, sin distinción de sexo, estado civil o profesión y ya sea trabajadores a domicilio, eventuales, de temporada o fijos, incluso discontinuos. También es irrelevante la categoría profesional y la forma y cuantía de la retribución.

3.4.2. Régimen especial

Los Regímenes Especiales actualmente en vigor son los que a continuación se indican:

- *Régimen especial de trabajadores autónomos.* Personas físicas mayores de 18 años, españolas o extranjeras que residan legalmente en territorio español, que realicen de forma habitual, personal, directa, por cuenta propia y fuera del ámbito de dirección y organización de otra persona, una actividad económica o profesional a título lucrativo, den o no ocupación a trabajadores por cuenta ajena. Se presumirá, salvo prueba en contrario, que concurre la condición de trabajador por cuenta propia, a efectos de este Régimen Especial, en quien ostente la titularidad de un establecimiento abierto al público como propietario, arrendatario, usufructuario u otro concepto análogo.
- *Régimen especial de los trabajadores del mar.* El Régimen Especial de la Seguridad Social de los Trabajadores del Mar se regula por la Ley 47/2015, de 21 de octubre, reguladora de la protección social de las personas trabajadoras del sector marítimo-pesquero. Comprende tanto a los trabajadores por cuenta ajena como por cuenta propia que se dedican a la realización de actividades marítimo pesqueras. Como trabajadores por cuenta ajena se incluyen a los que se dedican a las actividades de marina mercante, pesca marítima, extracción de otros productos del mar, tráfico interior de puertos y embarcaciones deportivas y de recreo y practicaje y estiba portuaria, buceadores con titulación profesional en actividades industriales, incluyendo la actividad docente para la obtención de dicha titulación quedan excluidos los buceadores con titulaciones deportivas-recreativas), rederos y rederas.
- *Régimen especial de la minería del carbón.* Es decir, trabajadores por cuenta ajena que prestan sus servicios en las siguientes actividades relativas a la minería del carbón:

extracción de carbón en minas subterráneas, explotación de carbón a cielo abierto, fabricación de aglomerados de carbón mineral, hornos de producción de cok (salvo los pertenecientes a la industria siderometalúrgica), transporte fluvial de carbón, investigación, reconocimiento y escogida de carbón de escombreras y aprovechamiento de carbones y aguas residuales carbonosas.

3.5. Tipos de seguros y requisitos

3.5.1. El seguro de vejez residual SOVI

Los requisitos, son tener cumplidos los 65 años, o 60 en el supuesto de vejez por causa de incapacidad. No tener derecho a ninguna otra pensión a cargo de los regímenes que integran el sistema de la Seguridad Social. Haber estado afiliado al retiro obrero obligatorio o tener cubiertos 1800 días de cotización al seguro obligatorio de vejez e invalidez antes del 1-1-67.

La pensión es de cuantía fija, imprescriptible y vitalicia.

Actualmente es una prestación ya residual porque las personas sujetas a esta ayuda se encuentran ya jubiladas desde (mínimo) el año 2018. Por tanto, es de percepción vitalicia pero actualmente está inactiva y ya no se puede solicitar.

3.5.2. Los requisitos del seguro de viudedad

Con carácter general, se exige no tener derecho a ninguna otra pensión a cargo de los regímenes que integran el sistema de la Seguridad Social OA sectores laborales pendientes de integración en el mismo.

3.5.3. Incompatibilidades del SOVI

Las pensiones del SOVI son incompatibles con cualquier otra pensión a cargo de los regímenes que integran el sistema de la Seguridad Social o a sectores laborales pendientes de integración en el mismo.

Existe incompatibilidad entre las pensiones del SOVI y las de clases pasivas causadas por el mismo sujeto, siempre que alguna sea posterior a la entrada en vigor del decreto 691/91, de 12 de abril.

Las causadas por sujetos distintos o por el mismo pero anteriores al decreto 691/1991 son compatibles, pero su cuantía se disminuye al considerarse concurrentes.

Las pensiones del SOVI, causadas por el mismo sujeto, son incompatibles con las reconocidas por la Mutualidad Nacional de Previsión de la Administración Local (MUNPAL), a partir de la aplicación del cómputo recíproco de cotizaciones con dicha mutualidad establecido por el R.D. 2175/1978, de 25 de agosto, en vigor desde el día uno de octubre de dicho año.

3.6. Pensiones no contributivas

La ley 26/1990, refundida en la Ley General de Seguridad Social, extendió el derecho a las pensiones de la Seguridad Social, por jubilación e invalidez, a todos los ciudadanos, aunque no hayan cotizado o lo hayan hecho de forma insuficiente.

3.6.1. **Pensión por invalidez no contributiva**

Se consideran constitutivas de invalidez no contributiva las deficiencias previsiblemente permanentes de carácter físico, congénitas o no, qué anulen o modifiquen la capacidad física, psíquica o sensorial de quienes la padecen. Los beneficiarios serán las personas que cumplan los siguientes requisitos:

- Ser mayor de 18 años y menor de 65 años.
- Residir en territorio español y haberlo hecho durante un período de 5 años, de los cuales, dos han de ser consecutivos e inmediatamente anteriores a la fecha de presentación de la solicitud.
- Tener una minusvalía o enfermedad crónica en grado igual o superior al 65%.
- Carecer de rentas o ingresos suficientes. Se consideran en dicha situación quienes perciben ingresos o rentas que, en el cómputo anual, sean inferiores a la cuantía de la pensión de invalidez no contributiva[2].
- Si el solicitante carece de rentas o ingresos personales suficientes pero convive con otras personas en una misma unidad económica, únicamente se entenderá cumplido dicho requisito cuando la suma de las rentas o ingresos computables de todos los integrantes de aquélla, sea inferior al *"límite de acumulación de recursos"* aplicable a la unidad económica. Dicho límite será el equivalente a lo que resulte de la suma de la cuantía de la pensión en cómputo anual, más el 70% de dicha cuantía multiplicado por el número de convivientes menos uno, de lo que es expresión matemática la siguiente fórmula:

$$L = C + (0,7 \text{ x } C \text{ x } (m - 1))$$

Siendo:

L = Límite de Acumulación de Recursos.

C= Cuantía anual de la pensión establecida en la Ley de Presupuestos Generales del Estado.

m = Número de convivientes que integran la unidad económica.

Cuando la convivencia, dentro de una misma unidad económica, se produzca entre el solicitante y sus descendientes o ascendientes consanguíneos o por adopción en primer grado, el *"límite de acumulación de recursos"* será equivalente a multiplicar por 2'5, lo que resulte de la suma de la cuantía de la pensión en cómputo anual, más el 70% de dicha cuantía multiplicado por el número de convivientes menos uno, de lo que es expresión matemática la siguiente fórmula:

$$L = \{C + [0,7 \text{ x } C \text{ x } (m - 1)]\} \text{ x } 2'5$$

---

[2] Para el año 2019, 5.488,00 euros /anuales.

Siendo:

L = Límite de Acumulación de Recursos.

C= Cuantía anual de la pensión establecida en la Ley de Presupuestos Generales del Estado.

m = Número de convivientes que integran la unidad económica.

La cuantía de la pensión será la que se fije en la correspondiente ley de presupuestos generales del Estado. incluirá 12 mensualidades, abonándose dos pagas extraordinarias de igual importe. Cuando en una misma unidad económica convivan más de un beneficiario, la cuantía de la pensión se calculará de la siguiente forma:

Complemento a favor de los titulares de una pensión de la Seguridad Social en su modalidad no contributiva que residan en una vivienda alquilada

Para 2019, se establece un complemento de pensión[3] para el pensionista que acredite fehacientemente carecer de vivienda en propiedad y tener, como residencia habitual, una vivienda alquilada al pensionista cuyo propietario no tenga con él relación de parentesco hasta tercer grado, ni sea cónyuge o persona con la que constituya una unión estable y conviva con análoga relación de afectividad a la conyugal. En el caso de unidades familiares en las que convivan varios perceptores de pensiones no contributivas, sólo podrá percibir el complemento el titular del contrato de alquiler o, de ser varios, el primero de ellos.

Obligaciones de los beneficiarios:

- Comunicar, en el plazo de treinta días desde la fecha en que se produzca, cualquier variación de su situación de convivencia, estado civil, residencia, recursos económicos propios o ajenos computables por razón de la convivencia y cuantas puedan tener incidencia en la conservación o en la cuantía de la pensión.
- Presentar en el primer trimestre de cada año una declaración de los ingresos de la respectiva unidad económica referida al año inmediato anterior.

3.7 Pensiones Contributivas

Las pensiones contributivas se conceden en base a la edad y el tiempo que el trabajador ha cotizado. Se ha tener cubierto un período mínimo de cotización de 15 años, de los cuales al menos 2 deben estar comprendidos dentro de los 15 años inmediatamente anteriores al momento de causar el derecho a la pensión de jubilación.

3.7.1. Jubilación (pensiones contributivas)

Tradicionalmente, la edad de jubilación en España ha estado fijada en los 65 años, aunque existen excepciones a esta edad dependiendo del tipo de trabajo que se haya realizado durante la vida laboral. Sin embargo y tras la reforma legislativa que buscó garantizar la sostenibilidad del

---

[3] La cuantía del complemento está fijada en el año 2019 en 525 euros anuales.

sistema de pensiones públicas, esta edad de 65 años se está viendo incrementada de manera paulatina entre 2013 y 2027, fecha en la que la edad ordinaria de jubilación será a los 67 años.

La pensión máxima de jubilación se sitúa en 2.659,41 € al mes. Por su parte, las pensión mínima alcanza los 677,40 € mensuales[4].

Para acceder a la jubilación formalmente en España y cobrar una pensión pública contributiva (es decir, derivada de las propias cotizaciones a la Seguridad Social y no de un régimen asistencial), los ciudadanos han de cumplir cuatro condiciones fundamentales:

- Estar afiliados en la Seguridad Social,
- Haber cumplido la edad mínima de jubilación (67 años en 2027),
- 65 años solo en el caso que se hayan cotizado 38 años y medio,
- Haber cotizado al menos 15 años y encontrarse en situación de hecho causante de jubilación según los estándares legalmente establecidos.

En primer lugar, es necesario estar afiliado en la Seguridad Social en alguno de los regímenes que se contemplan, ya sea el general, el especial del mar y la minería o el de trabajadores autónomos, por ejemplo. Según la Seguridad Social, serán beneficiarios las "personas incluidas en el Régimen General, afiliadas y en alta o en situación asimilada a la de alta". La ley informa que también serán beneficiarios los trabajadores afiliados que, en la fecha del hecho causante, no estén en alta o en situación asimilada al alta, siempre que reúnan los requisitos de edad y cotización establecidos". Es decir, basta con estar afiliados al sistema.

Con respecto a la edad mínima, será de 67 años en 2027 pero hasta entonces se ha establecido un régimen transitorio desde el 1 de enero de 2013. Este parte de los 65 años de edad y va retrasando la jubilación a razón de un mes cada año desde 2013 hasta 2018, y de dos meses por año desde 2018 a 2027. Así hasta que se alcancen los 67. También se permitirá la jubilación a los 65 siempre que el trabajador haya cotizado un mínimo de años que va aumentando desde 35 a 38 años y medio en 2027 –a razón de un trimestre por año-. Ésas son las edades contempladas para la jubilación ordinaria, y se excluyen los casos de jubilación anticipada.

Por ejemplo, se podrán retirar legalmente en 2023 los que tengan 66 años y 4 meses. Quienes hayan cotizado al menos 37 años podrían jubilarse a la edad de 65 años.

El periodo cotizado mínimo es de 15 años para tener derecho a una pensión contributiva. Tanto para los trabajadores que estén dados de alta en la Seguridad Social o en situación asimilada, como para aquellos que no estén en esas situaciones, el periodo genérico mínimo es de 15 años o 5.475 días cotizados. Además, al menos debe haber dos años de cotización comprendidos dentro de los 15 años anteriores al momento de generarse el derecho -o anteriores a la fecha en la que cesó la obligación de cotizar, para trabajadores en alta o situación asimilada-, que es lo que se conoce como carencia cualificada o específica.

Esto implica que si una persona ha cotizado menos de 15 años a lo largo de su vida, o si ha cotizado esos años pero dos de ellos no están dentro del periodo de 15 años anterior a su retiro (por ejemplo, desde los 52 años en el año 2027, cuando la edad legal para jubilarse sean los 67),

---

[4] Datos de 2020

o dentro de los 15 años previos al momento en que dejó de estar obligada a cotizar a la Seguridad Social –para trabajadores en alta o situación asimilada como por ejemplo los desempleados inscritos en la oficina de empleo-, pierde el derecho a su pensión contributiva, aunque puede acceder a una pensión de carácter asistencial en determinados casos.

Para acceder a la jubilación, tiene que haberse producido lo que la ley llama "el hecho causante". Este hecho causante puede ser:

- El día del cese en la actividad laboral, cuando el trabajador está en alta en la Seguridad Social.
- El día de presentación de la solicitud, en las situaciones asimiladas a la de alta (con dos excepciones: en caso de excedencia forzosa, el día del cese en el cargo que dio origen a la asimilación; y en caso de traslado fuera del territorio nacional, el día del cese en el trabajo por cuenta ajena).
- El día de presentación de la solicitud, en las situaciones de no alta.

3.8. Conclusiones

EJERCICIO Después de la lectura de todo el tema, realiza una conclusión general de todos los contenidos que se han abordado.

 *EJERCICIO* Lee el siguiente texto:

Llorente, R. (2020). Impacto del COVID-19 en el mercado de trabajo: un análisis de los colectivos vulnerables. Documentos de Trabajo (IAES, Instituto Universitario de Análisis Económico y Social), 2, 1-29.

https://ebuah.uah.es/dspace/handle/10017/42247

1. Analiza los principales factores de riesgo que describe la autora y que afectan a los colectivos de riesgo
2. ¿Cómo puede afectar que estos colectivos vean incrementado su tiempo de desempleo a efectos de percibir una pensión contributiva? Justifica tu respuesta.

EJERCICIO Crea un mapa conceptual sobre el origen de la Seguridad Social en el mundo y en España.

Capítulo 4. EL SISTEMA SANITARIO: LA SALUD COMO BASE DEL BIENESTAR

4.1. Introducción

A partir de los años 50, la Organización Mundial de la Salud define la salud como *"un estado de completo bienestar físico, mental y social, y no solamente la ausencia de afecciones o enfermedades"*. Sin embargo, en Europa, cada país ha tratado de satisfacer las necesidades sanitarias y de atención médica de la población desarrollando diferentes sistemas de salud para cubrir dichas demandas (van der Zee y Kroneman, 2007). El Sistema Nacional de Salud español fue establecido por la Ley General de Salud de 1986, confirmando el derecho universal a la atención a la salud otorgado por la Constitución española de 1978. Posteriormente, la Ley 16/2003, de 28 mayo, de Cohesión y Calidad del Sistema Nacional de Salud, estableció los mecanismos de coordinación entre las Comunidades Autónomas (CCAA) y el Estado con el fin de garantizar la sostenibilidad del propio sistema. De esta forma quedó establecido el Sistema Nacional de Salud (SNS) de carácter descentralizado, que ha ido desarrollándose a nivel regional persiguiendo los objetivos establecidos por cada Comunidad Autónoma. Desde el siglo XX, el Trabajo Social ha estado involucrado en la atención sanitaria contribuyendo a la comprensión de las diferentes necesidades de salud y de los diferentes contextos de las personas usuarias. En este sentido, los y las profesionales del Trabajo Social están especialmente cualificados para apoyar en los tratamientos integrados, centrados en las personas, familias, grupos y comunidades.

4.2. Contexto normativo y estructuras institucionales del Sistema Nacional de Salud

Desde los planteamientos realizados por Hipócrates, la salud se ha entendido comúnmente como la ausencia de enfermedad. Sin embargo, ya a partir de los años 50, la Organización Mundial de la Salud (OMS) definió la salud como *"un estado de completo bienestar físico, mental y social, y no solamente la ausencia de afecciones o enfermedades"*. La OMS categoriza el hecho de disfrutar del grado máximo de salud como un derecho fundamental que todo ser humano debe tener. Para ello, los sistemas de salud deben de ofrecer servicios que mejoren, mantengan o restauren la salud de las personas y sus comunidades. Esto implica de manera directa el acceso a servicios de salud de calidad, promoviendo así una cobertura sanitaria universal.

En España, el derecho a la salud, tiene su más específica regulación en el artículo 43 de la **Constitución Española (CE)** (1978):

1. *Se reconoce el derecho a la protección de la salud.*
2. *Compete a los poderes públicos organizar y tutelar la salud pública a través de medidas preventivas y de las prestaciones y servicios necesarios.*
3. *La ley establecerá los derechos y deberes de todos al respecto.*

En este sentido la CE reconoce tanto el derecho a la protección de la salud como el establecimiento de un sistema de distribución de competencias asumibles por las Comunidades Autónomas (CCAA) y las exclusivas del Estado.

En 1977 se crea el Ministerio de Sanidad y Seguridad Social, pero no será hasta 1986 cuando se universalizó la sanidad transformando así un Sistema General de Seguridad Social en un Sistema Nacional de Salud. En este sentido, la **Ley General de Sanidad de 1986 (LGS)** es la ley de referencia que regula el SNS en España, dando respuesta a la necesidad de emprender reformas en la legislación precedente (seguro social sanitario), y consolida su descentralización. Asimismo, la LGS crea como órgano de coordinación el **Consejo Interterritorial del Sistema Nacional de Salud (CISNS)**.

Más tarde, tras la descentralización efectiva del SNS, mediante la transferencia de competencias de Instituto Nacional de la Salud (INSALUD) – entidad pública encargada de la provisión y gestión sanitaria en España hasta 2002 - a las CCAAs, la **Ley 16/2003, de 28 mayo, de Cohesión y Calidad del Sistema Nacional de Salud (LCC)**, constituye otro de los referentes normativos del SNS. Esta ley parte de la necesidad de que para garantizar el funcionamiento y la financiación de un SNS universal y equitativo es necesario cierto grado de intervención central, por lo que establece los mecanismos para solventar los posibles problemas de coordinación entre las CCAA y el Estado. La LCC incorpora los siguientes cambios:

- El desarrollo de la cartera de servicios correspondiente al Catálogo de Prestaciones del Sistema Nacional de Salud, así como su actualización.

- El establecimiento de prestaciones sanitarias complementarias a las prestaciones básicas del Sistema Nacional de Salud por parte de las CCAA.

- Garantías mínimas de seguridad y calidad para la autorización de la apertura y puesta en funcionamiento de los centros, servicios y establecimientos sanitarios.

- Los criterios generales y comunes para el desarrollo de la colaboración de las oficinas de farmacia.

- Los criterios básicos y condiciones de las convocatorias de profesionales que aseguran su movilidad por todo el territorio del estado.

- La declaración de la necesidad de realizar las actuaciones coordinadas en materia de salud pública a las cuales se refiere esta ley.

- Los criterios generales sobre financiamiento público de medicamentos y productos sanitarios, y sus variables.

- El establecimiento de criterios y mecanismos con vista a garantizar en todo momento la suficiencia financiera del sistema.

- Se mantiene el Consejo Interterritorial como el principal instrumento de configuración del SNS, otorgándole el mismo carácter de órgano de coordinación, pero atribuyéndole una nueva composición y funciones.

Posteriormente, entendiendo que se había hecho una interpretación en términos generales del derecho constitucional de protección de la salud, como el derecho a recibir asistencia sanitaria frente a la enfermedad, se aprueba la **Ley 33/2011, de 4 de octubre, General de Salud Pública (LGSP)**. Esta ley desarrolla las acciones sanitarias, sectoriales y transversales que permitan actuar a las administraciones públicas sobre los procesos y factores que más influyen en la salud, previniendo la enfermedad y protegiendo y promoviendo la salud de las personas. En este sentido, la LGSP desarrolló la vertiente preventiva, de protección y promoción de la salud del SNS, además de la curativa, de la cuidadora y de la rehabilitadora, blindando así el derecho de la ciudadanía en materia de salud pública.

Actualmente, las estructuras institucionales de referencia se concretan, en el ámbito de la Administración General del Estado, en el **Ministerio de Sanidad** a quien le corresponde la propuesta y ejecución de la política del Gobierno en materia de salud, de planificación y asistencia sanitaria, así como el ejercicio de las competencias de la Administración General del Estado para asegurar a los ciudadanos el derecho a la protección de la salud.

Sin embargo, es necesario destacar que, en España, la organización descentralizada del SNS y la transferencia de competencias en cuanto a la organización de la asistencia sanitaria a las

CCAAs, ha supuesto el desarrollo de 17 servicios regionales de salud diferenciados.

A nivel autonómico, en la Comunitat Valenciana, se establece en el artículo 38 del **Estatuto de Autonomía de la Comunitat Valenciana** que corresponde a la Generalitat Valenciana el desarrollo legislativo y la ejecución de la legislación básica del Estado en materia de sanidad interior, siendo la **Conselleria de Sanidad Universal y Salud Pública** el organismo institucional de referencia en materia de sanidad. Es la **Ley 8/2018, de 20 de abril, de modificación de la Ley 10/2014, de 29 de diciembre, de Salud de la Comunitat Valenciana** (LSCV), el elemento normativo vigente que rige el Sistema Valenciano de Salud (SVS) dando respuesta a las necesidades sanitarias de la población con un modelo de gestión eminentemente público.

4.3. Principios de las Administraciones Públicas

La LGS, en su artículo 6, establece que las Administraciones Públicas Sanitarias estarán orientadas a las siguientes finalidades:

a) *A la promoción de la salud.*

b) *A promover el interés individual, familiar y social por la salud mediante la adecuada educación sanitaria de la población.*

c) *A garantizar que cuantas acciones sanitarias se desarrollen estén dirigidas a la prevención de las enfermedades y no sólo a la curación de las mismas.*

d) *A garantizar la asistencia sanitaria en todos los casos de pérdida de la salud.*

e) *A promover las acciones necesarias para la rehabilitación funcional y reinserción social del paciente.*

A nivel regional, el SVS se orienta a la promoción de la salud, a la prevención de las enfermedades y a la asistencia sanitaria y desarrolla todas sus actividades a través de los principios rectores recogidos en la LSCV:

a) *Universalización de la atención sanitaria, garantizando la igualdad efectiva de acceso a los servicios y actuaciones sanitarias y de salud pública, de conformidad con la legislación vigente.*

b) *Las políticas de salud estarán orientadas hacia la superación de los desequilibrios territoriales y sociales y, de modo particular, hacia la superación de las desigualdades de salud en la población, entendidas como diferencias sistemáticas, evitables e injustas en el nivel de salud de distintos grupos sociales definidos por identidad de género, orientación sexual, edad, etnia, clase social, situación de discapacidad o dependencia.*

c) *Las políticas de salud deberán evaluarse en su implementación y en sus resultados con* una periodicidad acorde al carácter de la acción implantada.

d) Las políticas de salud, así como sus resultados y evaluación, deberán ser transparentes. La información proporcionada al respecto deberá ser clara, sencilla en formatos accesibles y comprensible para el conjunto de la ciudadanía.

e) El sistema valenciano de salud articulará la participación activa de la comunidad en el diseño, seguimiento y evaluación de sus políticas sanitarias.

f) El sistema valenciano de salud promoverá la integración de todos sus componentes para garantizar la continuidad en la prestación asistencial, con criterios de equidad, calidad y sostenibilidad.

g) El sistema valenciano de salud promoverá una visión integral de los problemas de salud basada en la atención primaria, impulsando acciones dirigidas a favorecer el trabajo en equipo y el desarrollo de redes asistenciales, en la atención integral a los problemas de salud.

h) Los centros que componen el sistema valenciano de salud se regirán por criterios de equidad, gestión democrática, transparencia, accesibilidad y coordinación, y usarán sus recursos con racionalidad, eficiencia y efectividad, desarrollando modelos de excelencia pública.

i) El acceso al sistema sanitario y sociosanitario, su organización, sus políticas, estrategias y programas y el conjunto de sus prestaciones, se orientarán hacia la igualdad efectiva de toda la ciudadanía, integrando activamente en sus objetivos y actuaciones el principio de igualdad entre mujeres y hombres.

j) En todos sus niveles y actuaciones, el sistema valenciano de salud velará por la dignidad de la persona y por el respeto a la autonomía de su voluntad y a su intimidad, con plena consideración de las decisiones adoptadas libre y voluntariamente por la ciudadanía, de conformidad con la legislación vigente.

k) El sistema valenciano de salud fomentará la investigación y la innovación en salud en todos sus ámbitos de actividad como elemento esencial para el progreso del mismo, e impulsará la colaboración entre centros de investigación a nivel autonómico, estatal e internacional. Se crearán los cauces de difusión necesarios para que los resultados lleguen a los profesionales de la salud.

l) El uso de las tecnologías de la información y comunicación en todos los ámbitos del sistema y su interoperabilidad son un elemento clave en el desarrollo sanitario y en la salvaguarda de los derechos de las personas.

m) Las actuaciones de salud tendrán en cuenta las políticas de carácter no sanitario que influyan en la salud de la población, promoviendo las que favorezcan el medio ambiente y los entornos saludables, restringiendo aquellas que supongan riesgos para la salud, orientándose a la protección y mejora de la salud desde todas las políticas de gobierno.

n) *Las políticas, planes y programas que tengan impacto en la salud de la población promoverán la disminución de las desigualdades sociales en salud e incorporarán acciones específicas sobre sus determinantes. Igualmente, las actuaciones incorporarán la perspectiva de género y prestarán atención específica a las necesidades de las personas con discapacidad, diversidad funcional y a la infancia y la adolescencia.*

o) *La formación continuada es un derecho y un deber de los profesionales sanitarios del sistema valenciano de salud, que deben actualizar sus conocimientos y sus habilidades de acuerdo con la evolución científico-técnica y con las necesidades de salud de la población.*

p) *Las políticas públicas de salud y atención sanitaria se inspirarán en un tratamiento apropiado de diversidad humana y social, con arreglo a un enfoque inclusivo que incorpore la humanización de la asistencia sanitaria y la atención sociosanitaria en todas las fases y por todo el personal involucrado.*

4.4. Competencias de los diversos niveles de la Administración Pública

La LGS establece las competencias del Estado en materia de salud. En este campo la sanidad exterior, las relaciones y acuerdos sanitarios internacionales serán establecidos como competencia del Estado. Esto se debe a que dichas actividades se realizan en materia de vigilancia y control de los posibles riesgos para la salud derivados de la importación, exportación o tránsito de mercancías y del tráfico internacional de viajeros. Además, la legislación sobre productos farmacéuticos también será competencia estatal conforme lo establecido en la ley de garantías y uso racional de los medicamentos y productos sanitarios.

Además, la LGS establece como competencia estatal establecer las bases y coordinación de la sanidad, para ello, establece en su artículo 3 los siguientes principios del SNS:

a) *Los medios y actuaciones del sistema sanitario estarán orientados prioritariamente a la promoción de la salud y a la prevención de las enfermedades.*

b) *La asistencia sanitaria pública se extenderá a toda la población española. El acceso y las prestaciones sanitarias se realizarán en condiciones de igualdad efectiva.*

c) *La política de salud estará orientada a la superación de los desequilibrios territoriales y sociales.*

d) *Las políticas, estrategias y programas de salud integrarán activamente en sus objetivos y actuaciones el principio de igualdad entre mujeres y hombres, evitando que, por sus diferencias físicas o por los estereotipos sociales asociados, se produzcan discriminaciones entre ellos en los objetivos y actuaciones sanitarias.*

En este sentido, la LGS establece que el Estado, para garantizar los servicios mínimos y el principio de igualdad en el funcionamiento de los servicios públicos, debe de establecer las actuaciones básicas del SNS, y también concreta instrumentos de colaboración.

A nivel autonómico, la **Ley 3/2003, de 6 de febrero, de la Generalitat, de Ordenación Sanitaria de la Comunitat Valenciana**, tiene por objeto la ordenación sanitaria en la Comunitat Valenciana, al regular las actuaciones que permitan hacer efectivo el derecho de la ciudadanía a la protección de la salud. Así corresponderían a la Generalitat Valenciana las siguientes competencias:

a) *La determinación de los criterios y prioridades de la política en materia de salud y su gestión, así como la coordinación de las actuaciones que en esta materia se lleven a cabo en el ámbito territorial de la Comunitat Valenciana, en especial con las entidades locales, garantizando el debido funcionamiento de los servicios sanitarios y sociosanitarios.*

b) *El establecimiento de los criterios generales de planificación y ordenación territorial del Sistema Valenciano de Salud.*

c) *La vigilancia, supervisión, inspección y evaluación de las actividades del Sistema Valenciano de Salud y su adecuación al Plan de Salud de la Comunitat Valenciana.*

d) *La adopción de medidas de intervención sobre los centros, servicios y establecimientos sanitarios, los centros de atención sociosanitaria en materia de drogodependencias y otros trastornos adictivos, y las actividades con posible repercusión en la salud pública.*

e) *La aprobación, coordinación y fomento de programas de formación en el ámbito de la salud.*

f) *La aprobación, coordinación y fomento de programas de investigación e innovación en el ámbito de la salud.*

g) *La aprobación del mapa sanitario de la Comunitat Valenciana y de sus modificaciones.*

h) *La autorización, cualificación, catalogación, registro, evaluación y acreditación, en su caso, de todo tipo de servicios, centros o establecimientos sanitarios, así como su inspección y control.*

i) *La regulación y control de la publicidad sanitaria de conformidad con lo dispuesto en la normativa básica.*

Además, las administraciones locales tienen que prestar los servicios mínimos obligatorios en el ámbito sanitario establecidos en la legislación vigente sobre régimen local. Actualmente, dichas competencias son:

a) La salubridad pública.

b) El control sanitario de industrias, actividades, servicios y transportes.

c) El control sanitario de edificios y lugares de vivienda y convivencia humana, especialmente de los centros de alimentación, peluquerías, saunas y centros de higiene personal, hoteles y centros residenciales, escuelas, campamentos turísticos y áreas de actividad físico-deportivas y de recreo.

d) El control sanitario del medio ambiente urbano.

e) El control sanitario de los cementerios y la policía sanitaria mortuoria.

f) El ejercicio de la potestad sancionadora y la adopción de medidas especiales cautelares y definitivas, en los términos previstos en esta ley.

g) En materia de drogodependencias, las licencias y el establecimiento de criterios reguladores de la localización, distancia y características que deberán reunir los establecimientos donde se suministren, vendan, dispensen o consuman bebidas alcohólicas y tabaco, así como la vigilancia y control de estos establecimientos.

h) La participación, en colaboración con los equipos de atención primaria y de salud pública, encaminada a potenciar ciudades saludables, mediante la creación de mesas intersectoriales.

4.5. Sistema de Información Poblacional (SIP) y documentos de identificación y acreditación sanitaria derivados del mismo (Comunitat Valenciana).

Como refleja la legislación específica, el Sistema de Información Poblacional (SIP) es el registro administrativo corporativo de la Conselleria competente en materia de sanidad que contiene información administrativa y sanitaria de las personas residentes en la Comunitat Valenciana y de aquellas que, no siendo residentes, acceden a las prestaciones sanitarias del Sistema Valenciano de Salud. El SIP recoge, como mínimo, los datos de identificación, localización y modalidad de acreditación del derecho a la cobertura sanitaria de cada una de las personas registradas en él y, cuando proceda, la asignación de centro y médico. Toda persona registrada en el Sistema de Información Poblacional tiene asignado un número único de identificación personal, denominado número SIP, de carácter exclusivo

Por su parte, la Tarjeta Sanitaria Individual (TSI), emitida por la Conselleria competente en materia de sanidad, es el documento administrativo personal e intransferible que identifica y acredita a su titular para el acceso a las prestaciones del Sistema Nacional de Salud a las que tenga derecho de acuerdo con la normativa básica estatal, así como, en su caso, a las prestaciones complementarias del Sistema Valenciano de Salud. La TSI se expide a las personas registradas en el SIP que residan en la Comunitat Valenciana y tengan reconocida la condición de aseguradas o beneficiarias de un asegurado de acuerdo con lo establecido en la normativa básica estatal.

4.5.1. Personas titulares de la atención del Sistema Nacional de Salud

La titularidad del derecho a la asistencia en el Sistema Nacional de Salud se basa en la condición de ciudadanía y su reconocimiento se desliga, por tanto, de la condición de asegurado. De este modo, el acceso a la atención sanitaria en condiciones de equidad y de universalidad es un derecho básico de toda persona con nacionalidad española y las personas extranjeras que tengan residencia en España. También a aquellas personas que no teniendo su residencia habitual en territorio español tienen reconocido su derecho a la asistencia sanitaria en España por cualquier otro título jurídico, como pensionistas españoles que no residen en España, trabajadores/as desplazados/as o trabajadores/as transfronterizos/as.

Los colectivos no registrados ni autorizados como residentes en España tendrán derecho a la protección de la salud en las mismas condiciones que las personas con nacionalidad española. El derecho a la asistencia sanitaria respecto a estos colectivos será con cargo a los fondos públicos de las administraciones competentes siempre que se cumplan los siguientes requisitos:

1. No tener la obligación de acreditar la cobertura de la prestación sanitaria por otra vía, en virtud de lo dispuesto en el derecho de la UE, los convenios bilaterales y demás normas aplicables.

2. No poder exportar el derecho de cobertura sanitaria desde su país de origen o procedencia.

3. No existir un tercero obligado al pago

En todo caso, la asistencia sanitaria a estos colectivos no genera un derecho a la cobertura sanitaria fuera del territorio español financiada con cargo a los fondos públicos. Las CCAA, en el ámbito de sus competencias, fijarán el procedimiento para la solicitud y expedición del documento certificativo que acredite a las personas extranjeras para poder recibir la prestación asistencial.

4.6. Organización del Sistema Nacional de Salud

Según la LGS todas las estructuras y servicios públicos al servicio de la salud integran el Sistema Nacional de Salud. El SNS es el conjunto de los Servicios de Salud de la Administración del Estado y de los Servicios de Salud de las Comunidades Autónomas. El Sistema Nacional de Salud integra todas las funciones y prestaciones sanitarias que son responsabilidad de los poderes públicos para el debido cumplimiento del derecho a la protección de la salud. Además, la organización del SNS parte de una burocracia jerárquica en forma de pirámide con atención primaria en la parte inferior, y la atención especializada en la parte superior, respondiendo a una estricta subdivisión territorial.

4.6.1. Organización asistencial del sistema sanitario

El SNS se organiza en dos entornos o niveles asistenciales: Atención Primaria y Atención Especializada.

La definición *"Atención Primaria de Salud es fundamentalmente asistencia sanitaria puesta al alcance de todos los individuos y familias de la comunidad, por medios que le sean aceptables, con su plena participación y a un coste que la comunidad y país puedan soportar"* fue aceptada en la Conferencia Internacional sobre Atención Primaria de Salud de Alma-Ata, realizada en Kazajistán, del 6 al 12 de septiembre de 1978. El nivel de atención primaria representa el primer nivel de contacto de los individuos, la familia y la comunidad con el SNS poniendo a disposición de la población una serie de servicios básicos a una distancia media de 15 minutos desde cualquier lugar de residencia. Los dispositivos asistenciales principales son los Centros de Salud, donde trabajan equipos multidisciplinares integrados por médicos/as de familia, pediatras, personal de enfermería, personal administrativo, de trabajo social, matronas y fisioterapeutas. Sus principales funciones son las de la promoción de la salud y prevención de la enfermedad. Se presta de forma ambulatoria o a demanda de la persona, de forma domiciliaria y de carácter urgente.

El siguiente nivel comprende la atención especializada recogiendo las actividades asistenciales, diagnósticas, terapéuticas y de rehabilitación y cuidados, así como aquellas de promoción de la salud, educación sanitaria y prevención de la enfermedad, cuya naturaleza aconseja que se realicen en este nivel. El acceso a la atención especializada depende de una derivación de un médico de cabecera: el llamado sistema de control de acceso, por lo que la atención especializada garantizará la continuidad de la atención integral al paciente, una vez superadas las posibilidades de la atención primaria y hasta que aquél pueda reintegrarse en dicho nivel.

4.6.2. Organización territorial del sistema sanitario

El SNS se organiza en dos niveles de organización territorial a nivel autonómico: Áreas/Departamentos de Salud y las Zonas Básicas de Salud.

Las Comunidades Autónomas delimitan y constituyen en su territorio demarcaciones sanitarias denominadas Áreas de Salud. Las Áreas de Salud son las estructuras fundamentales del sistema sanitario, responsables de la gestión unitaria de los centros y establecimientos del Servicio de Salud de la Comunidad Autónoma en su demarcación territorial y de las prestaciones sanitarias y programas sanitarios a desarrollar por ellos. El SVS se ordena en Departamentos de salud, que equivalen a las áreas de salud previstas en la legislación básica estatal. Los Departamentos de salud, según la LSCV, son las estructuras fundamentales del SVS, siendo las demarcaciones geográficas en las que queda dividido el territorio de la Comunitat Valenciana a los efectos sanitarios. Los departamentos de salud delimitan el territorio de la Comunitat Valenciana para llevar a cabo una adecuada gestión y administración de la sanidad valenciana. Asimismo, constituyen la referencia geográfica y poblacional en la que se interrelacionan los distintos recursos del sistema sanitario para posibilitar la prestación de una atención sanitaria integral, continua y continuada, cuando el horario de funcionamiento de los Centros de Salud finaliza, basada en los principios de equidad y universalidad y coordinando todos los ámbitos de actuación sanitaria con la socio-sanitaria y la salud pública. En el Departamento de Salud se integran: los centros de salud y consultorios; las unidades de apoyo; los centros sanitarios integrados; hospitales y centros de especialidades; y aquellos dispositivos y/o unidades de carácter docente e investigador que les sean asignados.

En las Áreas/Departamentos de Salud se desarrollan las siguientes actividades:

a) En el ámbito de la atención primaria de salud, mediante fórmulas de trabajo en equipo, se atiende al individuo, la familia y la comunidad; desarrollándose, mediante programas, funciones de promoción de la salud, prevención, curación y rehabilitación, a través tanto de sus medios básicos como de los equipos de apoyo a la atención primaria.

b) En el nivel de atención especializada, a realizar en los hospitales y centros de especialidades dependientes funcionalmente de aquellos, se presta la atención de mayor complejidad a los problemas de salud y se desarrollarán las demás funciones propias de los hospitales.

Las Áreas /Departamentos de Salud se delimitan teniendo en cuenta los siguientes factores: geográficos, socioeconómicos, demográficos, laborales, epidemiológicos, culturales, climatológicos de dotación de vías y medios de comunicación, así como las instalaciones sanitarias del Área/Departamento. La diversidad de áreas de salud muestra que son variables en extensión territorial y en el contingente de población comprendida en las mismas. Como regla general, atendidos los factores indicados, el Área/Departamento de Salud extiende su acción a una población no inferior a 200.000 ni superior a 250.000 habitantes, sin perjuicio de las excepciones. En todo caso, cada provincia tendrá, como mínimo, un Área/Departamento de Salud. Cada área dispone de un hospital general como referente para la Atención Especializada.

El departamento de salud, atendiendo a los criterios de la máxima integración de los recursos asistenciales, se divide en zonas básicas de salud. La zona básica de salud es el ámbito territorial básico de actuación de la Atención Primaria. Para la determinación de las zonas básicas de salud se tienen en cuenta: (a) Las distancias máximas de las agrupaciones de población más alejadas de los servicios y el tiempo normal a invertir en su recorrido usando los medios ordinarios; (b) El grado de concentración o dispersión de la población; (c) las características epidemiológicas de la zona; y (d) las instalaciones y recursos sanitarios de la zona.

4.7 Prestaciones del Sistema Nacional de Salud

Las prestaciones sanitarias del catálogo se hacen efectivas mediante la cartera de servicios comunes que teniendo en cuenta en su elaboración la eficacia, eficiencia, efectividad, seguridad y utilidad terapéuticas, así como las ventajas y alternativas asistenciales, el cuidado de grupos menos protegidos o de riesgo, las necesidades sociales, y su impacto económico y organizativo. El contenido de la cartera de servicios comunes del Sistema Nacional de Salud es la siguiente (Sánchez, 2018):

a) **Prestación de salud pública:** conjunto de iniciativas organizadas por las administraciones públicas para preservar, proteger y promover la salud de la población. La prestación de salud pública comprende las siguientes actuaciones:

1. La información y la vigilancia en salud pública y los sistemas de alerta epidemiológica y respuesta rápida ante emergencias en salud pública.

2. La defensa de los fines y objetivos de la salud pública que es la combinación de acciones individuales y sociales destinadas a obtener compromisos políticos, apoyo para las políticas de salud, aceptación social y respaldo para unos objetivos o programas de salud determinados.

3. La promoción de la salud, a través de programas intersectoriales y transversales.

4. La prevención de las enfermedades, limitaciones de la actividad y lesiones.

5. La protección de la salud, evitando los efectos negativos que diversos elementos del medio pueden tener sobre la salud y el bienestar de las personas.

6. La protección y promoción de la sanidad ambiental.

7. La protección y promoción de la seguridad alimentaria.

8. La protección y promoción de la salud laboral.

9. La evaluación de impacto en salud.

10. La vigilancia y control de los posibles riesgos para la salud derivados de la importación, exportación o tránsito de bienes y del tránsito internacional de viajeros.

11. La prevención y detección precoz de las enfermedades raras, así como el apoyo a las personas que las presentan y a sus familias.

La salud pública orientada directamente al ciudadano se articula a través de programas para la protección de riesgos para la salud, promoción de la salud y prevención de enfermedades, deficiencias y lesiones y comprende:

12. Programas intersectoriales, en los que los servicios prestados en el ámbito de la salud pública se agrupan en actuaciones sobre estilos de vida y otros determinantes del entorno que comportan un riesgo para la salud.

13. Programas transversales, en los que los servicios prestados en el ámbito de la salud pública se agrupan en programas y actividades en las distintas etapas de la vida, programas y actuaciones sobre enfermedades transmisibles, no transmisibles, lesiones y accidentes, o programas para grupos de población con especiales necesidades.

b) **Prestación de atención primaria:** nivel básico e inicial de atención, que garantiza la globalidad y continuidad de la atención a lo largo de toda la vida del/la paciente, actuando como gestor y coordinador de casos y regulador de flujos. Comprende actividades de promoción de la salud, educación sanitaria, prevención de la enfermedad, asistencia sanitaria, mantenimiento y recuperación de la salud, así como la rehabilitación física y el trabajo social.

La atención primaria, que incluye el abordaje de los problemas de salud y los factores y conductas de riesgo, comprende:

1. **Atención sanitaria a demanda, programada y urgente tanto en la consulta como en el domicilio** de la persona enferma, así como aquellas de promoción de la salud, educación sanitaria y prevención de la enfermedad que realizan los diferentes profesionales de atención primaria. La atención primaria incluye las siguientes modalidades: (i) Consulta a demanda, por iniciativa del paciente, preferentemente organizada a través de cita previa; (ii) consulta programada, realizada por iniciativa de un profesional sanitario; y (iii) consulta de urgencia.

2. Indicación o prescripción y realización, en su caso, de **procedimientos diagnósticos y terapéuticos.**

3. **Actividades en materia de prevención, promoción de la salud, atención familiar y atención comunitaria:** comprende las actividades de promoción de la salud, educación sanitaria y prevención de la enfermedad que se realizan en el nivel de atención primaria, dirigidas al individuo, la familia y la comunidad, en coordinación con otros niveles o sectores implicados. Se han de destacar, por una parte, la Atención Familiar: que comprende la atención individual considerando el contexto familiar de los pacientes con problemas en los que se sospecha un componente familiar. Incluye la identificación de la estructura familiar, la etapa del ciclo vital familiar, los acontecimientos vitales estresantes, los sistemas de interacción en la familia y la detección de la disfunción familiar. Por otra, la Atención Comunitaria: como el conjunto de actuaciones con

participación de la comunidad, orientadas a la detección y priorización de sus necesidades y problemas de salud, identificando los recursos comunitarios disponibles, priorizando las intervenciones y elaborando programas orientados.

4. **Actividades de información y vigilancia en la protección de la salud**

5. **Rehabilitación básica:** se trata de actividades de educación, prevención y rehabilitación que son susceptibles de realizarse en el ámbito de atención primaria, en régimen ambulatorio, previa indicación médica y de acuerdo con los programas de cada servicio de salud, incluyendo la asistencia domiciliaria si se considera necesaria por circunstancias clínicas o por limitaciones en la accesibilidad.

6. **Atenciones y servicios específicos relativos a las mujeres**, que específicamente incluirán la detección y tratamiento de las situaciones de violencia de género, la infancia, la adolescencia, los adultos, la tercera edad, los grupos de riesgo y enfermos crónicos.

7. **Atención paliativa a enfermos terminales:** consiste en la atención integral, individualizada y continuada de personas con enfermedad en situación avanzada, no susceptible de recibir tratamientos con finalidad curativa y con una esperanza de vida limitada (en general, inferior a 6 meses), así como de las personas a ellas vinculadas. Su objetivo terapéutico es la mejora de su calidad de vida, con respeto a su sistema de creencias, preferencias y valores. Esta atención se presta en el domicilio del/la paciente o en el centro sanitario intentando garantizar la continuidad asistencial y la coordinación con otros recursos.

8. **Atención a la salud mental en coordinación con los servicios de atención especializada:** incluye actividades de prevención y promoción, consejo y apoyo para el mantenimiento de la salud mental en las distintas etapas del ciclo vital. Además de la detección, el diagnóstico y el tratamiento de trastornos adaptativos, por ansiedad y depresivos, con derivación a los servicios de salud mental especializada. Asimismo, se realizarán actividades de detección de conductas adictivas, trastornos del comportamiento y otros trastornos mentales., así como casos de psicopatologías en la infancia/adolescencia, incluidos los trastornos de conducta general y alimentaria, y la realización de las derivaciones pertinentes. Por último incluye la realización de actividades de coordinación con los servicios de salud mental y servicios sociales de las personas con trastorno mental grave y prolongado.

9. **Atención a la salud bucodental:** son actividades asistenciales, diagnósticas y terapéuticas, así como aquéllas de promoción de la salud, educación sanitaria y preventiva dirigida a la atención a la salud bucodental.

c) **Prestación de atención especializada** son las actividades asistenciales, diagnósticas, terapéuticas y de rehabilitación y cuidados, así como aquéllas de promoción de la salud, educación sanitaria y prevención de la enfermedad, cuya naturaleza aconseja que se realicen en este nivel. La atención especializada garantizará la continuidad de la atención integral al/la paciente, una vez superadas las posibilidades de la atención primaria y hasta que aquél pueda reintegrarse en dicho nivel. La atención especializada se presta, siempre que las condiciones del/la paciente lo permitan, en consultas externas y en hospital de día. Presenta las siguientes modalidades:

1. Asistencia especializada en consultas
2. Asistencia especializada en hospital de día, médico y quirúrgico
3. Hospitalización en régimen de internamiento.
4. Apoyo a la atención primaria en el alta hospitalaria precoz y, en su caso, hospitalización a domicilio.
5. Indicación o prescripción, y la realización, en su caso, de procedimientos diagnósticos y terapéuticos.
6. Atención paliativa a enfermos terminales.
7. Atención a la salud mental
8. Rehabilitación en pacientes con déficit funcional recuperable.

d) **Prestación de atención sociosanitaria,** comprende el conjunto de cuidados destinados a aquellas personas enfermas, generalmente crónicas, que por sus especiales características pueden beneficiarse de la actuación simultánea y sinérgica de los servicios sanitarios y sociales para aumentar su autonomía, paliar sus limitaciones o sufrimientos y facilitar su reinserción social. En el ámbito sanitario, la atención sociosanitaria se lleva a cabo en los niveles e atención que cada Comunidad Autónoma determine y en cualquier caso comprende:

1. Los cuidados sanitarios de larga duración
2. La atención sanitaria a la convalecencia
3. La rehabilitación en pacientes con déficit funcional recuperable

La continuidad del servicio se tiene que garantizar por los servicios sanitarios y sociales a través de la adecuada coordinación entre las Administraciones públicas correspondientes.

e) **Prestación de atención de urgencia** es la atención que se presta al paciente en los casos en que su situación clínica obliga a una atención sanitaria inmediata. Se dispensará tanto en centros sanitarios como fuera de ellos, incluyendo el domicilio del paciente y la atención «in situ», durante las 24 horas del día, mediante la atención médica y de enfermería, y con la colaboración de otros profesionales.

f) **Prestación farmacéutica** comprende los medicamentos y productos sanitarios y el conjunto de actuaciones encaminadas a que los/as pacientes los reciban de forma adecuada a sus necesidades clínicas, en las dosis precisas según sus requerimientos individuales, durante el período de tiempo adecuado y al menor coste posible para ellos/as y la comunidad. Se entiende por prestación farmacéutica ambulatoria la que se dispensa al paciente mediante receta médica u orden de dispensación hospitalaria, a través de oficinas o servicios de farmacia. Solo la prestación farmacéutica ambulatoria que se dispense por medio de receta médica oficial u orden de dispensación a través de oficinas de farmacia estará sujeta a aportación del usuario. La participación en el pago a satisfacer por los usuarios por los medicamentos y productos sanitarios que les proporcione el SNS, se regula estableciendo una serie de modalidades.

g) **Atención a la salud mental:** Comprende el diagnóstico y seguimiento clínico de los trastornos mentales, la psicofarmacoterapia, las psicoterapias individuales, de grupo o familiares (excluyendo el psicoanálisis y la hipnosis), la terapia electroconvulsiva y, en su caso, la hospitalización.

h) **Prestación ortoprotésica** consiste en la utilización de productos sanitarios, implantables o no, cuya finalidad es sustituir total o parcialmente una estructura corporal, o bien modificar, corregir o facilitar su función. Comprende los elementos precisos para mejorar la calidad de vida y autonomía del paciente (implantes quirúrgicos, prótesis externas, sillas de ruedas, órtesis y ortoprótesis especiales). Esta prestación se facilita por los servicios de salud o da lugar a ayudas económicas.

i) **Prestación de productos dietéticos** comprende la dispensación de los tratamientos dietoterápicos a las personas que padecen determinados trastornos metabólicos congénitos y la nutrición enteral domiciliaria para pacientes a los que no es posible cubrir sus necesidades nutricionales, a causa de su situación clínica, con alimentos de consumo ordinario. Esta prestación se facilita por los servicios de salud o da lugar a ayudas económicas.

j) **La prestación de transporte sanitario** consiste en el desplazamiento de personas enfermas por causas exclusivamente clínicas, cuya situación les impida desplazarse en los medios ordinarios de transporte. Tienen derecho a la financiación de esta prestación las personas enfermas o accidentadas cuando reciban asistencia sanitaria del SNS, en centros propios o concertados, y que, por imposibilidad física u otras causas exclusivamente clínicas, no puedan utilizar transporte ordinario para desplazarse a un centro sanitario o a su domicilio tras recibir la atención sanitaria correspondiente, en caso de que persistan las causas que justifiquen su necesidad. Pueden ir acompañados cuando la edad o situación clínica del paciente lo requiere.

4.8. Papel del Trabajo Social en el Sistema Valenciano de Salud.

La formación y el conocimiento de los/as profesionales del Trabajo Social sobre los factores de riesgo psicosocial, así como su experiencia en la realización de diagnósticos sociales y la aplicación de intervenciones psicosociales basadas en evidencia científica, hacen que esta figura profesional esté especialmente cualificada para el tratamiento de los problemas psicosociales que se padecen en relación a las situaciones de enfermedad, en cualquier punto a lo largo de todo el espectro de la atención sanitaria (Stanhope et al., 2015; Ituarte, 2017).

Los/as trabajadores/as sociales sanitarios/as proveen de apoyo a los pacientes y sus familiares para responder a las complejas demandas de los sistemas sanitarios en momentos de vulnerabilidad y malestar, llevan a cabo modelos de intervención integrada como la gestión de casos, abordan la salud y los trastornos del comportamiento desde una gran variedad de modalidades de intervención, facilitan conexiones con diferentes recursos sanitarios y no sanitarios, y abogan por el empoderamiento de los/as pacientes (Fraser et al., 2018).

El **Real Decreto 1030/2006, de 15 de septiembre, que establece la Cartera de Servicios Comunes del Sistema Nacional de Salud**, en el artículo 12.1, incluye las actividades de trabajo social entre las prestaciones básicas de los equipos de atención primaria en los centros de salud y consultorios. Asimismo, a nivel autonómico, el **Decreto 74/2007, de 18 de mayo, que aprueba el Reglamento sobre Estructura, Organización y Funcionamiento de la Atención Sanitaria en la Comunitat Valenciana**, establece, en el artículo el artículo 6.7, que "*el acceso a otros recursos sociosanitarios será facilitado y coordinado por los trabajadores sociales como responsables de las funciones de diagnóstico y tratamiento de la problemática social que surge en torno al enfermo y su famili*a ".

En el contexto del SVS, la **Cartera de Servicios de Trabajo Social Sanitario de la Comunitat Valenciana** (Monrós, 2012) presenta los procesos y procedimientos de intervención que desarrollan las trabajadoras y los trabajadores sociales sanitarios desde los hospitales, centros de atención primaria, unidades de salud mental, centros y servicios de atención a las drogodependencias y otros trastornos adictivos y centros de salud sexual y reproductiva de la Comunitat Valenciana. De esta forma, las trabajadoras y trabajadores social sanitarios se ocupan de los aspectos psicosociales del individuo, la familia, los grupos y la comunidad, a través del estudio, el diagnóstico y el tratamiento de los factores sociales que concurren en la promoción de la salud y en la aparición de la dolencia de las personas, las familias, los grupos y la comunidad.

Esta figura profesional formará parte de los equipos multidisciplinares en el sistema sanitario interviniendo ante las carencias y necesidades sociales que inciden en el proceso salud-dolencia de los individuos, grupos y comunidades. Se ocupan de la atención y gestión de las circunstancias sociales de las personas enfermas, de sus familias y de su entorno, ayudándoles a afrontar estos cambios y a encontrar el equilibrio entre sus hábitos de vida y la nueva situación. Además, estos/as profesionales promueven la utilización de los recursos disponibles, gestionándolos y coordinando los apoyos profesionales e institucionales necesarios, y promueven la participación de individuos, grupos y comunidades en las diversas instituciones sanitarias. Sin embargo, no solo trabajan con población enferma, también intervienen en la promoción de la salud y la prevención de la dolencia a través de programas de salud en la comunidad.

El acceso a los servicios de Trabajo Social Sanitario puede darse tanto a demanda de la propia persona usuaria, o familiar, a través de la cita previa. El acceso también puede darse a través por derivación de otros profesionales del sistema sanitario y a solicitud de profesionales no vinculados al sistema sanitario (servicios sociales, educación, ONG…). La cita también puede estar programada por el/la propio/a profesional, por ejemplo, para realizar seguimientos.

El/la trabajador/a social sanitario/a utiliza una serie de elementos prácticos, procedimientos y medios instrumentales característicos de la propia disciplina profesional, adaptados a los objetivos del sistema sanitario con diferentes objetivos (conocimiento, transformación y/o evaluación):

- Realización de **entrevistas** con pacientes, con familiares, con profesionales sanitarios y no sanitarios; siendo esta técnica la herramienta principal de su intervención. La entrevista persigue diferentes objetivos: facilitar y/u obtener información, realizar valoraciones diagnósticas sanitarias, ofrecer apoyo psicosocial ejerciendo un efecto terapéutico e/o influir sobre ciertos aspectos de la conducta. La entrevista se puede realizar tanto en las instalaciones sanitarias o a través de visitas domiciliaras.

- Elaboración, implementación y evaluación de **planes, programas y proyectos de intervención** a nivel individual, familiar, grupal y comunitario.

- Registro de la actividad realizada y emitir cuando sea preciso el correspondiente **informe social**.

- Elaboración, actualización y utilización de **catálogos, carteras de servicios y guías de recursos y dispositivos**, tanto sanitarios como sociales, así como los procedimientos para su utilización.

Todo ello aplicando lo establecido en los Protocolos de intervención y los Programas de salud, participando en reuniones de coordinación (de equipo e interinstitucionales) y registrando su intervención en la **Historia Sanitaria Electrónica** y en la **Historia Social del paciente**.

Bibliografía

Ituarte, A. (coord.) (2017) Prácticas del Trabajo Social Clínico. Valencia: Nau Llibres.

Real Decreto 702/2013, de 20 de septiembre, por el que se modifica el Real Decreto 183/2004, de 30 de enero, por el que se regula la tarjeta sanitaria individual.

Sánchez-Flores, S. (2018). La Administración Social y los Sistemas de Bienestar. El contexto institucional del Trabajo Social. Valencia: Tirant lo Blanch

EJERCICIO 1: Indica a qué modelo de organización del sistema sanitario responde el modelo español con ejemplos.

EJERCICIO 2: Explica los posibles tipos de fragmentación y casos de descoordinación que puedan producirse en la atención al paciente desde el sistema sanitario.

EJERCICIO 3: ¿Debería de considerarse al Trabajo Social como profesión sanitaria? Argumenta tu respuesta.

Capítulo 5. EL SISTEMA DE PROMOCIÓN DE LA AUTONOMÍA Y ATENCIÓN A LA DEPENDENCIA: LA INSTITUCIONALIZACIÓN DE LOS CUIDADOS EN ESPAÑA

Alejandro Gil Salmerón
Instituto de Investigación Polibienestar
Universitat de València

5.1. Introducción

Europa se enfrenta a importantes retos debido a los cambios producidos en la epidemiología de las enfermedades suponiendo un incremento en la prevalencia de la discapacidad, así como el incremento de la esperanza de vida, generando una pérdida de autonomía y situaciones de dependencia. En este sentido, en España, con la aprobación de la Ley 39/2006, de 14 de diciembre, de promoción de la autonomía personal y atención a las personas en situación de dependencia (LAPAPED) supone un paso adelante en el reconocimiento de derechos y funciones del Estado. En este sentido la LAPAPED pretende romper con el sistema familista vigente (Esping-Andersen et al., 2002), al involucrar al Estado y a las administraciones públicas en la provisión de servicios asistenciales a las personas que los precisan para desenvolverse en su vida diaria. Esto se alejará de las ideas de solidaridad intergeneracional en el seno familiar y con su estructura tradicional de género (Rodriguez, 2006). Sin embargo, el desarrollo y la aplicación de la ley por las diferentes Administraciones autonómicas se ha quedado muy lejos de su planificación original debido a la falta de impulso político y de la correspondiente financiación. En la Comunidad Valenciana, la entrada en vigor del Decreto 62/2017, de 19 de mayo, del Consell, por el que se establece el procedimiento para reconocer el grado de dependencia a las personas y el acceso al sistema público de servicios y prestaciones económicas, tiene como objetivo obtener la máxima eficacia y celeridad del Sistema Valenciano de Promoción de la Autonomía Personal y de Atención a la Dependencia. El número de profesionales que hoy en día ya se dedican a la atención de las personas dependientes en diferentes modalidades de atención es muy numeroso, sin embargo, son los/as trabajadores/as sociales el/la profesional de referencia, siendo un importante pilar en la consolidación del sistema.

5.2. Contexto normativo y estructuras institucionales del Sistema de Promoción de la Autonomía y Atención a la Dependencia

En los últimos años se han producido sustanciales transformaciones en las sociedades europeas, que han provocado la emergencia de nuevas situaciones de necesidad en relación a los cuidados de larga duración que requieren la atención de los Sistema de Protección Social. Esto se debe principalmente al envejecimiento poblacional, así como al incremento de la prevalencia de la discapacidad. En este sentido, las situaciones de dependencia tienen que entenderse actualmente como estados de necesidad, en cuanto que afecta a un volumen muy elevado de la población, acontecen en algún momento de la vida de las personas y, una vez que se materializa, tiene consecuencias negativas en la persona que la sufre hasta el punto de necesitar la ayuda de otra persona para realizar las actividades básicas de la vida diaria.

Las personas con necesidad de cuidados de larga duración han sido objeto de un amplio conjunto de medidas legales a lo largo de los años, hasta que en 2006 se promulgó la LAPAPED. En este sentido, la historia de la política social en España se ha visto marcada por la evolución social y política del país en tres etapas diferenciadas: reclusión y marginación (S.XIX); rehabilitación de accidentados (mitad del S.XX), centradas en la indemnización, rehabilitación y/o compensación; y la atención especializadas (años 60) con el enfoque de derechos.

Durante el siglo XIX empezaron a surgir pretensiones para cubrir los riesgos financieros y vitales de la clase trabajadora, pero no es hasta los principios del siglo XX cuando se crea el Instituto de Reformas Sociales, que dará paso al Instituto Nacional de Previsión, la entidad que propondría un sistema de previsión social obligatoria que cubriera enfermedad, jubilación, desocupación y maternidad. La Ley de Accidentes de Trabajo de 1922 es reconocida como el germen de los posteriores centros de servicios para personas en situación de dependencia. Durante la II Republica (1931 – 1939) se intentó volver a implementar este proyecto de seguros sociales obligatorios de forma unificada otorgándole un rango constitucional a la atención en casa de enfermedad, accidente, vejez o invalidez, dado que esto había sido detenido durante la dictadura militar de Primo de Rivera (1923 – 1929). Sin embargo, esto tampoco fue posible por el golpe militar dado por el General Franco unos pocos años más tarde en 1936. Después de la Guerra Civil, en 1939, se retomarían los proyectos e ideas propuestos por el Instituto Nacional de Previsión, pero las iniciativas sociales por parte del gobierno franquista se caracterizaron por la beneficencia y la caridad.

Durante los años sesenta, el régimen franquista impulsó su modelo de protección social a través de la Ley de Bases de la Seguridad Social en 1963, cimientos de la moderna Seguridad Social española. En términos de diversidad funcional, se la ley recogía la aplicación de la atención a casos que no derivaran o estuvieran relacionados con la actividad laboral. No sería hasta después de la dictadura franquista, y el restablecimiento de la democracia, cuando se restablecerían en España los principios de un sistema de bienestar universal basado en la noción de derechos de la ciudadanía. Así se establecerá que los poderes públicos tienen que dar una respuesta específica a todas las personas en situación de necesidad y la garantía de atención especializada que requieran las personas con discapacidad, para cumplir así con lo recogido en la propia Constitución de 1978. De esta forma, la Ley sobre las Prestaciones no Contributivas (1990), junto con la Ley de Integración social de los Minusválidos (1982) hicieron efectiva la extensión del sistema de Seguridad Social. Finalmente, en 2003 mediante la Ley de Igualdad de Oportunidades, No Discriminación y Accesibilidad Universal, se trata de abordar también aspectos como la integración y el disfrute de los derechos, desde un enfoque de equiparación de oportunidades.

De esta forma la aprobación de la Ley 39/2006, de 14 de diciembre, de promoción de la autonomía personal y atención a las personas en situación de dependencia, supuso la construcción del cuarto pilar del Estado de bienestar, desarrollando el Sistema para la Autonomía y Atención a la Dependencia (SAAD), cuya competencia recae sobre el Ministerio de Sanidad, Servicios Sociales e Igualdad, a través del Instituto de Mayores y Servicios Sociales (IMSERSO). Asimismo, conforme lo establecido en la LAPAPED, las competencias de desarrollar el SAAD serán de las CCAAs, siendo la Vicepresidència del Consell i Conselleria d'Igualtat i Polítiques Inclusive la responsable en la Comunidad Valenciana a través del Institut Valencià d'Atenció Social-Sanitària (IVASS).

5.3. Definiciones conceptuales

Con el objetivo de garantizar la igualdad en el derecho subjetivo de ciudadanía a la promoción de la autonomía personal y atención a las personas en situación de dependencia, la propia ley contempla las siguientes definiciones:

- **Autonomía:** la capacidad de controlar, afrontar y tomar, por propia iniciativa, decisiones personales acerca de cómo vivir de acuerdo con las normas y preferencias propias, así como de desarrollar las actividades básicas de la vida diaria.

- **Dependencia:** el estado de carácter permanente en que se encuentran las personas que, por razones derivadas de la edad, la enfermedad o la discapacidad, y ligadas a la falta o a la pérdida de autonomía física, mental, intelectual o sensorial, precisan de la atención de otra u otras personas o ayudas importantes para realizar actividades básicas de la vida diaria o, en el caso de las personas con discapacidad intelectual o enfermedad mental, de otros apoyos para su autonomía personal.

- **Actividades Básicas de la Vida Diaria (ABVD):** las tareas más elementales de la persona, que le permiten desenvolverse con un mínimo de autonomía e independencia, tales como: el cuidado personal, las actividades domésticas básicas, la movilidad esencial, reconocer personas y objetos, orientarse, entender y ejecutar órdenes o tareas sencillas.

- **Necesidades de apoyo para la autonomía personal:** las que requieren las personas que tienen discapacidad intelectual o mental para hacer efectivo un grado satisfactorio de autonomía personal en el seno de la comunidad.

- **Cuidados no profesionales:** la atención prestada a personas en situación de dependencia en su domicilio, por personas de la familia o de su entorno, no vinculadas a un servicio de atención profesionalizada.

- **Cuidados profesionales:** los prestados por una institución pública o entidad, con y sin ánimo de lucro, o profesional autónomo entre cuyas finalidades se encuentre la prestación de servicios a personas en situación de dependencia, ya sean en su hogar o en un centro.

- **Asistencia personal:** servicio prestado por un asistente personal que realiza o colabora en tareas de la vida cotidiana de una persona en situación de dependencia, de cara a fomentar su vida independiente, promoviendo y potenciando su autonomía personal.

- **Tercer sector:** organizaciones de carácter privado surgidas de la iniciativa ciudadana o social, bajo diferentes modalidades que responden a criterios de solidaridad, con fines de interés general y ausencia de ánimo de lucro, que impulsan el reconocimiento y el ejercicio de los derechos sociales.

5.4. Sistema para la Autonomía y Atención a la Dependencia (SAAD)

En su artículo primero, la LAPAPED, establece que: *"por objeto regular las condiciones básicas que garanticen la igualdad en el ejercicio del derecho subjetivo de ciudadanía a la promoción de la autonomía personal y atención a las personas en situación de dependencia, en los términos establecidos en las leyes, mediante la creación de un Sistema para la Autonomía y Atención a la Dependencia, con la colaboración y participación de todas las Administraciones Públicas y la garantía por la Administración General del Estado de un contenido mínimo común de derechos para todos los ciudadanos en cualquier parte del territorio del Estado español."*

El Sistema para la Autonomía y Atención a la Dependencia (SAAD) es el conjunto de servicios y prestaciones económicas destinados a la promoción de la autonomía personal, la atención y protección a las personas en situación de dependencia, a través de servicios públicos y privados concertados que contribuye a la mejora de las condiciones de vida de la ciudadanía (Sánchez, 2016). De esta forma, el SAAD garantiza las condiciones básicas y el contenido común referido en la LAPAPED en todo el territorio español. Además, el SAAD establece el entorno institucional y los mecanismos administrativos adecuados para la colaboración y participación de las diferentes Administraciones Públicas, en el ejercicio de sus respectivas competencias, en materia de promoción de la autonomía personal y la atención y protección a las personas en situación de dependencia. Por último, la LAPAPED integra las prestaciones y los servicios del SAAD en la Red de Servicios Sociales de las diferentes Comunidades Autónomas en el ámbito de las competencias que tienen asumidas en sus estatutos de autonomía. Independientemente del grado de competencias adquiridas por la Comunidad Autónoma, los Sistemas para la Autonomía y Atención a la Dependencia (SAAD) autonómicos estará formada por los centros públicos de las Comunidades Autónomas, de las Entidades Locales, los centros de referencia estatal para la promoción de la autonomía personal y para la atención y cuidado de situaciones de dependencia, así como los privados concertados (debidamente acreditados). Asimismo, la LAPAPED tendrá como objetivo optimizar los recursos públicos y privados del SAAD, y para ello, incluirá a los centros y servicios privados no concertados que presten servicios para personas en situación de dependencia, siendo estos debidamente acreditados por la correspondiente agencia autonómica.

5.4.1. Consejo Territorial del Sistema para la Autonomía y Atención a la Dependencia

El Consejo Territorial de Servicios Sociales y del Sistema para la Autonomía y Atención a la Dependencia es un instrumento para articular la cooperación de los servicios sociales y los servicios de promoción de la autonomía y atención a las personas en situación de dependencia. Corresponde al Consejo Territorial conseguir la máxima coherencia en la determinación y aplicación de las diversas políticas sociales ejercidas por la Administración General del Estado y las Comunidades Autónomas mediante el intercambio de puntos de vista y el examen en común de los problemas que puedan plantearse y de las acciones proyectadas para afrontarlos y resolverlos. Las funciones están reguladas en el artículo 8 de la Ley 39/2006, de 14 de diciembre, de Promoción de la Autonomía Personal y Atención a las personas en situación de dependencia, estableciéndose expresamente las siguientes:

a.   *Acordar el Marco de cooperación interadministrativa para el desarrollo de la Ley previsto en el artículo 10.*

b.   *Establecer los criterios para determinar la intensidad de protección de los servicios previstos de acuerdo con los artículos 10.3. y 15.*

c.   *Acordar las condiciones y cuantía de las prestaciones económicas previstas en el artículo 20 para su aprobación posterior por el Gobierno mediante Real Decreto y en la disposición adicional primera (la Ley de Presupuestos Generales del Estado de cada ejercicio determinará la cuantía y la forma de abono a las CCAA).*

d.   *Adoptar los criterios de participación del beneficiario en el coste de los servicios.*

e.   *Acordar el baremo por el que se valorará la capacidad de la persona para llevar a cabo las distintas actividades de la vida diaria (artículo 27), con los criterios básicos del procedimiento de valoración y de las características de los órganos de valoración.*

f.   *Acordar, en su caso, planes, proyectos y programas conjuntos.*

g.   *Adoptar criterios comunes de actuación y evaluación del Sistema.*

h.   *Facilitar la puesta a disposición de documentos, datos y estadísticas comunes.*

i.   *Establecer los mecanismos de coordinación para el caso de las personas desplazadas en situación de dependencia.*

j.   *Informar la normativa estatal de desarrollo en materia de dependencia y en especial las normas previstas en el artículo 9.1 (determinar el nivel mínimo de protección garantizado para cada uno de los beneficiarios, según el grado y nivel de su dependencia).*

k.   *Servir de cauce de cooperación, comunicación e información entre las Administraciones Públicas.*

5.4.2. Niveles de protección y participación de las administraciones públicas en el SAAD

Según lo establecido en la LAPAPED, la protección de la situación de dependencia por parte del Sistema se presta de acuerdo con los siguientes niveles:

- **El nivel de protección mínimo establecido por la Administración General del Estado**: El Gobierno, oído el Consejo Territorial del Sistema para la Autonomía y Atención a la Dependencia, determinará el nivel mínimo de protección garantizado para cada uno de los beneficiarios del Sistema, según el grado y nivel de su dependencia, como condición básica de garantía del derecho a la promoción de la autonomía personal y atención a la situación de dependencia. La financiación pública de este nivel de protección correrá a cuenta de la Administración General del Estado que fijará anualmente los recursos económicos en la Ley de Presupuestos Generales del Estado.

- **El nivel de protección que se acuerde entre la Administración General del Estado y la Administración de cada una de las Comunidades Autónomas a través de los Convenios:** El Consejo Territorial del Sistema para la Autonomía y Atención a la Dependencia servirá de cauce entre la Administración General del Estado y las Comunidades Autónomas en el acordó del marco de cooperación interadministrativa que se desarrollará mediante los correspondientes Convenios entre la Administración General del Estado y cada una de las Comunidades Autónomas. Los Convenios de cooperación interadministrativa reflejaran los objetivos, medios y recursos para la aplicación de los servicios y prestaciones del SAAD, incrementando el nivel mínimo de protección fijado por el Estado. El Consejo Territorial del Sistema para la Autonomía y Atención a la Dependencia establecerá los criterios para determinar la intensidad de protección de cada uno de los servicios previstos en el Catálogo, y la compatibilidad e incompatibilidad entre los mismos, para su aprobación por el Gobierno mediante Real Decreto. Los Convenios establecerán la financiación que corresponda a cada Administración para este nivel de prestación. Igualmente, los Convenios recogerán las aportaciones del Estado derivadas de la garantía del nivel de protección definido en el artículo 9.

- **El nivel adicional de protección que pueda establecer cada Comunidad Autónoma:** En el marco del Sistema para la Autonomía y Atención a la Dependencia, las Comunidades Autónomas podrán definir, con cargo a sus presupuestos, niveles de protección adicionales al fijado por la Administración General del Estado para los cuales podrán adoptar las normas de acceso y disfrute que consideren más adecuadas. Asimismo, corresponden a las Comunidades Autónomas, según la LAPAPED y sin perjuicio de las competencias que les son propias según la Constitución Española, los Estatutos de Autonomía y la legislación vigente, las siguientes funciones:

  a) *Planificar, ordenar, coordinar y dirigir, en el ámbito de su territorio, los servicios de promoción de la autonomía personal y de atención a las personas en situación de dependencia.*

  b) *Gestionar, en su ámbito territorial, los servicios y recursos necesarios para la valoración y atención de la dependencia.*

  c) *Establecer los procedimientos de coordinación sociosanitaria, creando, en su caso, los órganos de coordinación que procedan para garantizar una efectiva atención.*

  d) *Crear y actualizar el Registro de Centros y Servicios, facilitando la debida acreditación que garantice el cumplimiento de los requisitos y los estándares de calidad.*

e) *Asegurar la elaboración de los correspondientes Programas Individuales de Atención.*

f) *Inspeccionar y, en su caso, sancionar los incumplimientos sobre requisitos y estándares de calidad de los centros y servicios y respecto de los derechos de los beneficiarios.*

g) *Evaluar periódicamente el funcionamiento del Sistema en su territorio respectivo.*

h) *Aportar a la Administración General del Estado la información necesaria para la aplicación de los criterios de financiación previstos en el artículo*

5.5. Aplicación de la Ley para la Autonomía y la Atención a la Dependencia en la Comunidad Valenciana.

La LAPAPED establecerá que serán titulares de los derechos todas aquellas personas que, además de encontrarse en situación de dependencia, residan en el territorio español durante al menos 5 años, de los cuales dos deberán ser inmediatamente anteriores a la fecha de presentación de la solicitud. Ello será de aplicación a las y los ciudadanos del Espacio Económico Europeo (empadronados en la Comunidad Autónoma donde se solicita), mientras que las personas extracomunitarias se regirán por lo establecido en la Ley 4/2000, de 11 de enero, sobre derechos y libertades de los extranjeros en España y su integración social. Finalmente, la Ley prevé el reconocimiento de la dependencia a aquellas personas emigrantes retornadas, siempre que estén por debajo de un umbral de renta, obteniendo una prestación de tipo asistencial.

Las Entidades Locales participan en la gestión de los servicios de atención a las personas en situación de dependencia, de acuerdo con la normativa de sus respectivas Comunidades Autónomas y dentro de las competencias que la legislación vigente les atribuye. Además, las Entidades Locales podrán participar en el Consejo Territorial del Sistema para la Autonomía y Atención a la Dependencia en la forma y condiciones que el propio Consejo disponga.

5.5.1. Procedimiento de reconocimiento del grado de dependencia y el acceso al SAAD

El **Decreto 62/2017, de 19 de mayo, del Consell, por el que se establece el procedimiento para reconocer el grado de dependencia a las personas y el acceso al sistema público de servicios y prestaciones económicas,** trata de aplicar la LAPAPED de una forma efectiva en la Comunidad Valenciana. Para ello, el Decreto 62/2017 hace un esfuerzo por integrar los servicios municipales de atención a la dependencia en los servicios sociales generales, cambiando el modelo paralelo y de duplicidad que se estaba desarrollando en los municipios. El Decreto 62/2017 establece el siguiente proceso (Almajano, 2018):

- **Solicitud:** la solicitud será presentada en modelo oficial, acompañado de los documentos que se requieran, ante el órgano gestor correspondiente de la Comunidad Autónoma de residencia del peticionario. Se trata del primer paso para que una persona se incorpore al sistema. A través de su presentación se manifiesta la voluntad de la persona para que sea valorada, en orden a determinar si se encuentra en situación de dependencia. En La Comunidad Valenciana, tras la entrada en vigor del decreto 62/2017, de 25 de febrero del Consell, la solicitud se presentará ante el ayuntamiento de la Comunidad Valenciana donde la persona solicitante se encuentre empadronada.

- **Informe social de entorno:** cuando se ha presentado toda la documentación de la persona solicitante y completado el expediente, los servicios sociales generales elaborarán un informe social de entorno relativo a las necesidades sociales que tenga la persona interesada, que será incorporado al expediente.

- **Valoración**: la valoración consiste en la determinación técnica del grado de dependencia de las personas, determinándose de acuerdo a lo establecido en el Real Decreto 174/2011, de 11 de febrero, de aplicación en todo el territorio nacional regulando el baremo de valoración (BVD) y la escala de valoración específica para menores de tres años (EVE), en orden a la capacidad para realizar las Tareas Básicas de la Vida Diaria, así como la necesidad de apoyo y supervisión a este aspecto, teniendo en cuenta los informes existentes relativos a la salud de la persona y el entorno en que se desenvuelve. Atendiendo a la LAPAPED, corresponde a las Comunidades Autónomas (en adelante CCAA), determinar los Órganos de Valoración, determinando la Generalitat Valenciana, que los órganos competentes para la valoración, serán con carácter general profesionales al servicio de las administraciones públicas con la formación específica y acreditada para valorar, y cuando la persona resida en su domicilio será realizada por los profesionales de los Servicios Sociales Generales correspondientes. A nivel nacional, la situación de dependencia se clasificará en los siguientes grados:

  o **Grado I. Dependencia moderada:** cuando la persona necesita ayuda para realizar varias actividades básicas de la vida diaria, al menos una vez al día o tiene necesidades de apoyo intermitente o limitado para su autonomía personal.

  o **Grado II. Dependencia severa:** cuando la persona necesita ayuda para realizar varias actividades básicas de la vida diaria dos o tres veces al día, pero no quiere el apoyo permanente de un cuidador o tiene necesidades de apoyo extenso para su autonomía personal.

  o **Grado III. Gran dependencia:** cuando la persona necesita ayuda para realizar varias actividades básicas de la vida diaria varias veces al día y, por su pérdida total de autonomía física, mental, intelectual o sensorial, necesita el apoyo indispensable y continuo de otra persona o tiene necesidades de apoyo generalizado para su autonomía personal.

- **Dictamen técnico:** una vez efectuada la valoración, el órgano valorador competente emitirá un dictamen técnico con indicador del grado de dependencia, siendo el plazo máximo para dictar y notificar la resolución de grado de tres meses, computándose desde la fecha de registro de entrada de la solicitud en el registro del órgano competente para su tramitación.

- **Resolución:** en el marco del procedimiento de reconocimiento de la situación de dependencia y las prestaciones correspondientes, se emite la resolución del Programa Individual de Atención (en adelante PIA), determina la modalidad de intervención más adecuada a las necesidades de entre los servicios y prestaciones económicas previstas en la resolución, con la participación, previa consulta y, en su caso, elección entre las alternativas propuestas por parte del beneficiario y, en su caso, de su familia o entidades tutelares. La Resolución PIA deberá dictarse y notificarse en el plazo máximo de tres meses desde la fecha de Resolución del grado.

- **Seguimiento:** una vez resuelto el PIA, los servicios sociales generales realizarán el seguimiento para la efectiva ejecución de éste. El seguimiento es la actividad de carácter técnico que supone el control de las personas que permanecen en su domicilio, comprobando que disponen de condiciones adecuadas de atención, supervisando la calidad de los cuidados, así como prevenir las posibles situaciones futuras de desatención.

Estos servicios cohesionados van a dar respuesta a la ciudadanía tanto por la tramitación de la solicitud, junto con el informe social y la valoración de la persona en situación de dependencia, ya que los servicios sociales generales son los más próximos y conocedores de las situaciones de dependencia que afectan a las personas. Se articula por tanto un sistema público de atención a las personas en situación de dependencia, garantizando la accesibilidad al mismo, protegiendo el seguimiento y procurando una mayor celeridad al procedimiento, así como la cercanía con la ciudadanía.

Título: Procedimiento para reconocer el grado de dependencia a las personas y el acceso al sistema público de servicios y prestaciones económicas (DECRETO 62/2017)

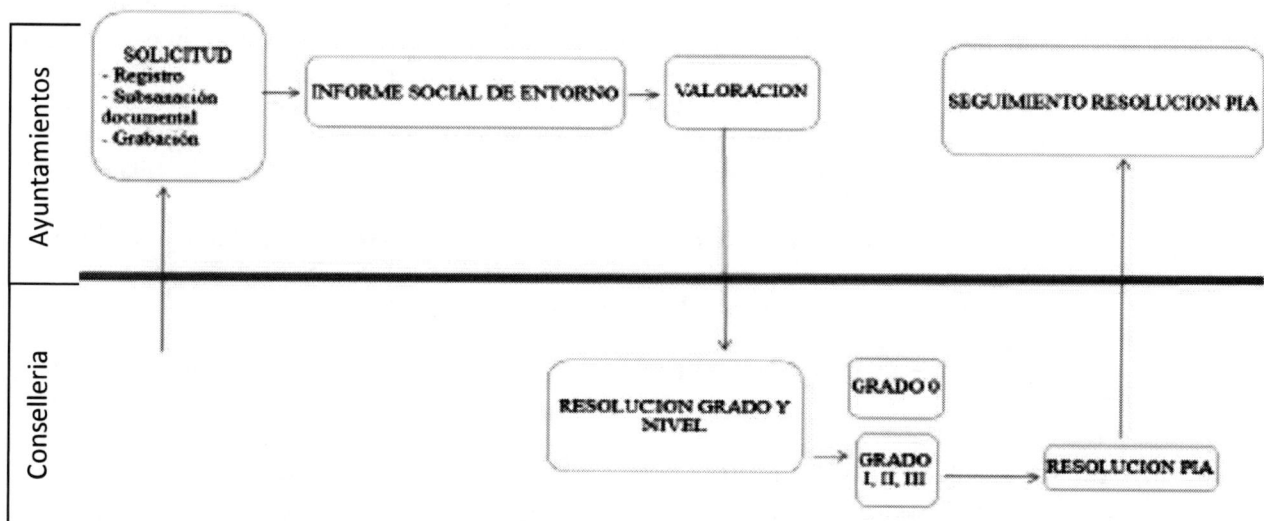

Fuente: Almajano, M.M. (2018). "Situación de la Ley de Promoción de la Autonomia personal y atención a las personas en situación de dependència en el municipio de Valencia" [Trabajo Final de Máster]

Las acciones de las administraciones públicas irán orientadas a la consecución de una mejor calidad de vida y autonomía personal, facilitando una existencia autónoma en su medio habitual y proporcionarle un trato digno en todos los ámbitos de su vida, facilitando su incorporación activa en la vida de la comunidad.

5.5.2. Catálogo de servicios y prestaciones de promoción de la autonomía y atención a la dependencia

Según lo establecido en la LAPAPED, el SAAD ofertará un catálogo básico que podrá ser ampliado por las CCAA con arreglo a sus presupuestos, garantizando equidad y prestaciones siendo la gestión de las CCAA y de las Corporaciones Locales. En este sentido, las prestaciones de atención a la dependencia podrán tener la naturaleza de servicios y de prestaciones económicas e irán destinadas, por una parte, a la promoción de la autonomía personal y, por otra, a atender las necesidades de las personas con dificultades para la realización de las actividades básicas de la vida diaria.

Los servicios del Catálogo tendrán carácter prioritario y se prestarán a través de la oferta pública de la Red de Servicios Sociales por las respectivas Comunidades Autónomas mediante centros y servicios públicos o privados concertados debidamente acreditados.

Con el fin de poder asignar los recursos, la LAPAPED indica el Catálogo de Servicios de la misma, éstos son:

- **Servicios de prevención de las situaciones de dependencia y los de promoción de la autonomía personal**: estos tendrán por finalidad la prevención de la aparición o el agravamiento de enfermedades o discapacidades y de sus secuelas, coordinando los servicios sociales y de salud, actuaciones de promoción de condiciones de vida saludables, programas específicos de carácter preventivo y de rehabilitación dirigidos tanto a las personas mayores y personas con discapacidad, como a quienes se ven afectados por procesos de hospitalización complejos.

- **Servicio de Teleasistencia**: facilitará la asistencia a los beneficiarios mediante el uso de tecnologías de la comunicación y de la información, en respuesta inmediata ante situaciones de emergencia, o de inseguridad, soledad y aislamiento.

- **Servicio de Ayuda a domicilio**: constituye el conjunto de actuaciones llevadas a cabo en el domicilio de las personas, con el fin de atender sus necesidades de la vida diaria.

- **Servicio de Centro de Día y de Noche**: ofrece una atención integral durante el periodo diurno o nocturno, con el objetivo de mejorar o mantener el mejor nivel posible de autonomía personal y apoyar a las familias o cuidadores.

- **Servicio de Atención Residencial**: ofrece servicios continuados de carácter personal y sanitario.

Igualmente se ofrecerán las siguientes prestaciones económicas:

- **Prestación económica vinculada al servicio**: tendrá carácter periódico, se reconocerá únicamente cuando no sea posible el acceso a un servicio público o concertado de atención y cuidado, y estando, en todo caso, vinculada a la adquisición de un servicio.

- **Prestación económica para cuidados en el entorno familiar y apoyo a cuidadores no profesionales**: se concederá, excepcionalmente, cuando el beneficiario esté siendo atendido por su entorno familiar, siempre que se den condiciones adecuadas de convivencia y de habitabilidad de la vivienda.

- **Prestación económica de asistencia personal**: tiene como finalidad la promoción de la autonomía de las personas en situación de dependencia, teniendo contribuyendo a la contratación de una asistencia personal, facilitando al beneficiario el acceso a la educación y al trabajo, así como una vida más autónoma en el ejercicio de las actividades básicas de la vida diaria.

Y, en el marco de la Comunidad Valenciana, se amplía en el Decreto 62/2017, de 19 de mayo del Consell con:

- **La prestación vinculada de Garantía**: en el supuesto de que no se disponga de plaza pública residencial adecuada al grado de dependencia, en un radio de 20 km respecto al domicilio de la persona en situación de dependencia, se ofertará, la posibilidad de percibir una prestación económica vinculada al servicio residencial.

5.6. El Trabajo social y la promoción de la autonomía y la atención a la dependencia

El número de profesionales que hoy en día ya se dedican a la promoción de la autonomía personal y a la atención de las personas dependientes en diferentes modalidades de atención es muy numeroso, sin embargo, son los/as trabajadores/as sociales el/la profesional de referencia, siendo un importante pilar en la consolidación del sistema.

Haciendo énfasis en la promoción de la autonomía, entendida como el conjunto de medidas dirigidas a evitar o retrasar la situación de dependencia, se requiere de un entramado complejo de políticas públicas que garanticen esto. Desde los servicios sociales y sanidad, los y las trabajadores/as sociales pueden plantear objetivos comunes de salud (Lima, 2006):

- **Servicios sociales:** organización de actividades de terapia ocupacional, de ocio y tiempo libre para promocionar el envejecimiento activo y saludable, eliminación de barreras arquitectónicas, fomento del voluntariado y las redes de apoyo...

- **Sanidad:** promoción de estilos de vida saludable tales como la práctica de ejercicio físico, alimentación equilibrada, pautas de sueño, manejo adecuado del estrés y la ansiedad... Además se deberán de reducir las conductas de riesgo tales como el sedentarismo, mala alimentación, tabaquismo, consumo de alcohol y drogas...

Además, las funciones de los profesionales del Trabajo Social en la red de servicios sociales en el SAAD se pueden ir encauzando a lo largo del articulado de la Ley por lo que se puede identificar la importancia de esta figura profesional, en cuanto a lo que se refiere a los pasos del procedimiento de aplicación de la misma, como serán la información, solicitud de valoración, valoración social, elaboración y diseño del programa individual de atención, gestión de las prestaciones, seguimiento, control y revisión para lo que se necesitará la formación específica de la disciplina del Trabajo Social.

Asimismo, aunque, la valoración se realiza de manera multidisciplinar entre los profesionales sanitarios que realizan una valoración "sanitaria", es importante resaltar la valoración social de entorno realizada por los/as trabajadores/as sociales que realizaran la valoración del entorno social. Esta valoración debe realizarse en el domicilio de la persona en situación de dependencia o en el centro residencial en el caso de que esté institucionalizado.

Referencias

Almajano, M.M. (2018) Situación de la Ley de Promoción de la Autonomia personal y atención a las personas en situación de dependència en el municipio de Valencia (Trabajo Final de Master). Universitat de València, Valencia, España.

Esping-Andersen, G., Gallie, D. Hemerijck, A. y Myles, J. (2002). Why We Need a New Welfare State. Oxford: Oxford University Press.

Lima, A.I. (2006). Presentación del plan de formación y aportaciones del trabajo social a la ley

De Promoción del la Autonomía Personal y Atención A Las Personas En Situación De Dependencia. Encuentro Consejo General-IMSERSO, 15 de diciembre de 2006.

Rodríguez, P. (2006) El sistema de servicios sociales español y las necesidades derivadas de la atención a la dependencia. Fundación Alternativas.

EJERCICIO 1: ¿Es la creación del SAAD un gasto social o una inversión económica en el PIB del país?

EJERCICIO 2: ¿Cuáles serían los impactos más destacados en las estructuras de género con la creación del SAAD para las mujeres?

EJERCICIO 3: ¿Qué ventajas e inconvenientes presenta el modelo valenciano para proceder en la solicitud del reconocimiento del grado de dependencia?

Capítulo 6. EDUCACIÓN: NECESIDAD Y RETO PARA EL BIENESTAR DE LA SOCIEDAD

Enric Sigalat
Universitat de València

José-Javier Navarro-Pérez
Universitat de València

Angel Joel Méndez-Lopez
Universitat de València

6.1. Introducción.

En este capítulo, trataremos de aproximarnos al conocimiento de uno de los pilares fundamentales de nuestras sociedades y por supuesto, también, del Estado de Bienestar: la educación. En el mismo, se realizará un breve recorrido por el Sistema Educativo Español, en un intento de aproximarnos, lo más posible, a las características centrales de nuestro sistema de enseñanza-aprendizaje, así como a los aspectos generales y a los principios que rigen el Sistema Educativo Español.

Para ello, se exponen brevemente, los principales Modelos de Intervención Educativa que se expresan en la práctica educativa, el Neoconservador, el Adaptativo y el Inclusivo, prevaleciendo el segundo de ellos, a la hora de hacer efectiva una praxis educativa, que aún tiene que continuar resignificando su puesta en escena y su materialización concreta.

Prestaremos especial atención a la educación de alumnos y alumnas con necesidades especiales y a los mecanismos de compensación de las desigualdades, por considerar que constituyen estos, aspectos de relevancia cardinal en nuestro sistema, que tiene como meta objetivos fundamentales ser inclusivo, cohesionador, horizontal, democratizador y promotor de la participación efectiva.

Partimos de la siguiente premisa: la educación es la mejor herramienta para contribuir al desarrollo integral de las personas y constituye, a su vez, uno de los núcleos duros fundamentales, para impulsar el avance y para promover el progreso, tanto de los individuos a título particular, como de las sociedades, vistas estas últimas como un todo articulado.

La educación es la sabia que necesitan nuestras estructuras sociales contemporáneas, para impulsar al máximo de lo posible su desarrollo y apostar por ella, es una de las grandes decisiones que tienen que asumir con dignidad y con visión prospectiva, las colectividades que pretendan avanzar en el marco de la dignificación humana.

6.2. Principales Modelos de Intervención Escolar desarrollados en la práctica educativa.

El logro de la máxima efectividad posible, de todos los aspectos, regulaciones jurídico-normativas, criterios y estrategias específicas, relacionadas con el Sistema Educativo Español y que serán presentadas y abordadas a lo largo de este capítulo, requiere, en primera instancia, de un consenso necesario, en torno a los principales Modelos de Intervención Escolar que se desarrollan a nivel de praxis específica, en nuestros escenarios socioeducativos particulares.

Aunque resulta muy complejo alcanzar, los objetivos-metas planteados en nuestro Sistema Educativo, si ellos no se concretan en un modelo de actuación, capaz de apostar consciente y electivamente, porque en el marco de nuestras estructuras educativas, primen los valores, principios y fundamentos más nucleares, capaces estos de permitirnos abordar cualquier forma de exclusión social que pueda condicionar el éxito o el fracaso, de nuestro estudiantado, con independencia del nivel escolar al que se haga referencia, creemos necesario partir de algunas bases que nos permitan contrastar y proyectar nuestra labor. En esta dirección y sentido, es que hacemos la siguiente propuesta.

Pudiéramos decir que, los principales Modelos de Intervención Escolar ante el fracaso y la exclusión social, que se manejan con más recurrencia por nuestros profesionales de la educación y en el marco del Sistema Educativo Español, responden a las siguientes **escuelas**:

1- **Escuela Neoconservadora.**

2- **Escuela Adaptativa.**

3- **Escuela Inclusiva, integrada en los modelos de Comunidad de Aprendizaje.**

Cada una de las mismas, tiene sus características, prioridades y modos específicos de funcionamiento y actuación y, a partir de los mismos, podemos decir que logran unos u otros objetivos, si a la práctica real acudimos.

A saber y de forma breve, encontramos que, en la **Escuela Neoconservadora** se privilegian como elementos de relevancia, *el esfuerzo individual*, que es catapultado a valor supremo desde esta perspectiva y que dependerá, en gran medida, de la posición que cada quien ocupe en la jerarquía social; *la responsabilidad pública*, por medio de la cual se intenta asegurar el acceso al sistema y; la valoración de *los mecanismos compensatorios.* De esta forma y desde el modelo que defiende dicha escuela, encontramos que *la desigualdad no tiene bases sociales, sino que dependen del esfuerzo que cada quien despliegue*, siendo lo más "importante", el aprovechamiento de las oportunidades que existen, convirtiéndose así, la educación como garante de las mejores oportunidades individuales.

Por su parte, la **Escuela Adaptativa**, *se fundamenta en las teorías del déficit*, limitando las posibilidades reales con que cuentan, a título personal, los alumnos y las alumnas y también, las derivadas de las influencias de su entorno, *atribuyendo su fracaso escolar a la ausencia de interés o a sus limitaciones intelectuales y cognoscitivas.* Desde este modelo, se *posterga el objetivo de la igualdad, centrándose más en lo que le falta al alumnado* que, en sus verdaderas potencialidades y capacidades para desarrollar al máximo, sus recursos personológicos.

En el otro extremo, se encuentra la **Escuela Inclusiva**, que aboga abierta y explícitamente por la creación de Comunidades Educativas y de Aprendizajes. Este modelo, inclusivo por excelencia, parte del supuesto de que las *personas somos seres de transformación y no de adaptación pasiva*, reconocen la necesidad de *modificar el contexto sociocultural*, que será capaz de provocar un desarrollo cognoscitivo y también emocional y actitudinal relevante, promoviendo la involucración de los actores y actrices sociales, en tanto sujetos activos, de su propia educación. Ello se logra trabajando sobre la base de presupuestos tales como: la solidaridad, el diálogo igualitario, la optimización del aprendizaje o la formación permanente de los diferentes agentes que inciden en el aprendizaje.

Este último modelo, que resaltamos como el que debería ser predominante en nuestras estructuras socioeducativas y en nuestro sistema específico, promueve un necesario giro dialógico, democratizador y participativo, en un sistema educativo que, como ya se ha defendido en este capítulo, requiere ser, cada vez más y mejor: inclusivo, cohesionador, prospectivo y dignificador.

6.3. Contexto normativo y estructuras institucionales.

El marco normativo que regula el Sistema Educativo en España, lo determina la Ley Orgánica de Educación (LOE) Ley 2/2006, de 3 mayo, modificada por la **Ley Orgánica 8/2013, de 9 de diciembre, para la Mejora de la Calidad Educativa (LOMCE)** en la cual se garantiza, en tanto derecho universal, el acceso de la población a la educación. En España, la educación es obligatoria hasta los 16 años.

La LOMCE no establece una nueva Ley de Educación, propiamente dicha, sino que modifica la anterior, la LOE. Entre los principales objetivos que persigue esta reforma - y recogidos en el Preámbulo-, están los de reducir la tasa de abandono temprano de la educación, la mejora de los resultados educativos respondiendo a las recomendaciones de la OCDE, basadas en las mejores prácticas de los países con sistemas educativos que presenten mejores resultados -sustentándose en pruebas de evaluación internacionales como PISA (*Programme for International Student Assessment*)-, y fomentar el espíritu emprendedor de los y las estudiantes.

En el preámbulo de la LOMCE, se reconoce la educación como el motor que promueve el bienestar de un país, lo que determina que sus ciudadanos puedan adquirir las capacidades para poder competir en el panorama internacional con éxito y encarar los

101

desafíos que se planteen en el futuro. Asimismo, y más allá de lo colectivo, en la esfera individual, la educación supone facilitar el desarrollo personal y la integración social. Las siete leyes educativas de la democracia hasta la LOMCE, última ley en entrar en vigor, constatan el torbellino y la superposición normativa habida en España, fundamentalmente debido a la acción política de los partidos mayoritarios que han tenido la responsabilidad de gobernar y que no han alcanzado un consenso sostenible y duradero en una cuestión tan importante. (Tocino y Montoya, 2016)

La sucesión de las diferentes leyes educativas desarrolladas durante la democracia, comparten como denominador común, el hecho que la educación es el medio principal para que todas las personas puedan desarrollar plenamente sus capacidades, habilidades y participar de forma activa en la sociedad. El artículo 26 de la **Declaración Universal de Derechos Humanos**[5] (1948) proclama el derecho a la educación como un derecho humano fundamental:

> *1. Toda persona tiene derecho a la educación. La educación debe ser gratuita, al menos en lo concerniente a la instrucción elemental y fundamental. La instrucción elemental será obligatoria. La instrucción técnica y profesional habrá de ser generalizada; el acceso a los estudios superiores será igual para todos, en función de los méritos respectivos.*

> *2. La educación tendrá por objeto el pleno desarrollo de la personalidad humana y el fortalecimiento del respeto a los derechos humanos y a las libertades fundamentales; favorecerá la comprensión, la tolerancia y la amistad entre todas las naciones y todos los grupos étnicos o religiosos, y promoverá el desarrollo de las actividades de las Naciones Unidas para el mantenimiento de la paz.*

> *3. Los padres tendrán derecho preferente a escoger el tipo de educación que habrá de darse a sus hijos.*

El artículo 13.1 del **Pacto Internacional de Derechos Económicos, Sociales y Culturales (1996)**, así como en numerosos instrumentos internacionales, tanto vinculantes como no vinculantes, se reconoce el derecho a la educación, y se pronuncian disposiciones jurídico-normativas en términos muy similares a lo expresado por el anterior artículo, valorándose, a su vez, el importante papel que han desempeñado los organismos internacionales en este proceso, así como en el camino hacia la integración e inclusión (Abellán, 2017a). En España, el derecho a la educación, tiene su más específica regulación en el artículo 27 de la **Constitución Española (1978)**:

> 1. *Todos tienen el derecho a la educación. Se reconoce la libertad de enseñanza.*

> 2. *La educación tendrá por objeto el pleno desarrollo de la personalidad humana en el respeto a los principios democráticos de convivencia y a los derechos y libertades fundamentales.*

> 3. *Los poderes públicos garantizan el derecho que asiste a los padres para que sus hijos reciban la formación religiosa y moral que esté de acuerdo con sus propias convicciones.*

> 4. *La enseñanza básica es obligatoria y gratuita.*

---

[5] Puede consultarse en: https://www.un.org/es/universal-declaration-human-rights/

5. *Los poderes públicos garantizan el derecho de todos a la educación, mediante una programación general de la enseñanza, con participación efectiva de todos los sectores afectados y la creación de centros docentes.*

6. *Se reconoce a las personas físicas y jurídicas la libertad de creación de centros docentes, dentro del respeto a los principios constitucionales.*

7. *Los profesores, los padres y, en su caso, los alumnos intervendrán en el control y gestión de todos los centros sostenidos por la Administración con fondos públicos, en los términos que la ley establezca.*

8. *Los poderes públicos inspeccionarán y homologarán el sistema educativo para garantizar el cumplimiento de las leyes.*

9. *Los poderes públicos ayudarán a los centros docentes que reúnan los requisitos que la ley establezca.*

10. *Se reconoce la autonomía de las Universidades, en los términos que la ley establezca.*

Este artículo 27 de la carta magna española, aunque regula el derecho a la educación en nuestro país, no ha logrado la estabilidad legislativa del sistema educativo, pues se han producido una sucesión de leyes orgánicas, interpretadas o derogadas según los intereses de los partidos políticos que ha habido en el gobierno, lo que no ha generado un consenso de Estado en esta materia tan cardinal, a la hora de pensar en el progreso sostenido de nuestro sistema. Por tanto, en materia educativa, y ya desde las primeras regulaciones, tanto la influencia política, como la de la iglesia, han sido elementos decisivos en el desarrollo del proceso educativo (Prado, 2017), pudiéramos decir que limitando todo el potencial con que cuenta el mismo, para promover con efectividad y prospectividad, un desarrollo espiralado ascendente, en el que la educación se convierta en el punto de inflexión y en la palanca que impulse el desarrollo de nuestra sociedad.

A nivel de la Administración General del Estado, el **organismo institucional** referente en materia educativa en España es el **Ministerio de Educación y Formación Profesional**[6], a quién corresponde la propuesta y ejecución de la política del Gobierno en cuestiones educativas y de formación profesional. A nivel autonómico, la Constitución Española establece un modelo de Estado descentralizado, que reparte el ejercicio de las competencias en educación en cada una de las diecisiete comunidades autónomas. Por tanto, a nivel autonómico deben considerarse los específicos organismos institucionales que desarrollan actuaciones y garantizan la calidad en materia de política educativa.

6.4. Organización del Sistema Educativo Español.

Se entiende por **Sistema Educativo Español** "al conjunto de Administraciones educativas, profesionales de la educación y otros agentes, públicos y privados, que desarrollan funciones de regulación, de financiación o de prestación de servicios, para el ejercicio del derecho a la educación en España, y los titulares de este derecho, así como

---

[6] Puede consultarse en: https://www.mecd.gob.es/

el conjunto de relaciones, estructuras, medidas y acciones que se implementan para prestarlo" (LOE[7], art. 2 bis 1 en la redacción de la LOMCE).

El Sistema Educativo Español se inspira en una serie de **principios** recogidos en el artículo 1 de la LOE, entre los que se destacan desde una perspectiva social, los siguientes:

- La calidad de la educación para todo el alumnado.

- La equidad, la igualdad de oportunidades y la no discriminación tratando a todo el mundo por igual, y actúe como elemento compensador de las desigualdades, con especial atención a las que deriven de discapacidad.

- La transmisión y puesta en práctica de valores beneficiosos para el alumnado que ayuden a superar cualquier tipo de discriminación.

- La flexibilidad para adecuar la educación a la diversidad de aptitudes, intereses, expectativas y necesidades del alumnado, y la variedad de cambios que experimenta la sociedad.

- La educación para la prevención de conflictos y para la resolución pacífica de los mismos.

- El desarrollo de la igualdad de derechos y oportunidades y el fomento de la igualdad entre hombres y mujeres.

- La cooperación entre el Estado y las Comunidades Autónomas en la definición, aplicación y evaluación de las políticas educativas, así como de la colaboración de las Administraciones educativas con las corporaciones locales en la planificación e implementación de la política educativa.

Por su parte, el Sistema Educativo Español se orienta a la consecución de los siguientes **fines**:

- El desarrollo de la personalidad y de las capacidades del alumnado

- La igualdad de derechos y oportunidades entre hombres y mujeres, así como en la igualdad de trato y no discriminación de personas con discapacidad.

- Tolerancia y libertad en el marco siempre de los principios democráticos de convivencia.

- La formación para la paz, el respeto a los derechos humanos, la vida en común, la cooperación y la solidaridad.

- La adquisición de valores que propicien el respecto al medio ambiente y hacia los seres vivos.

- El desarrollo de la capacidad de los propios alumnos para regular su propio aprendizaje, así como la iniciativa personal y el espíritu emprendedor.

- Reconocer la pluralidad lingüística y cultural de España y la interculturalidad como un factor enriquecedor.

---

[7] Ley Orgánica 2/2006, de 3 de mayo, de Educación. Texto consolidado. Integra las modificaciones introducidas por la LOMCE: https://www.boe.es/eli/es/lo/2006/05/03/2/con

- La adquisición de hábitos intelectuales y técnicas de trabajo, así como el desarrollo de hábitos saludables y ejercicio o deporte.

- La capacitación para la comunicación en la lengua oficial y cooficial, y en una o más lenguas extranjeras.

- La preparación para la participación activa en la vida económica, social y cultural.

6.4.1. Las enseñanzas del Sistema Educativo Español.

Las **enseñanzas que configuran el Sistema Educativo Español** son: la educación infantil, la educación primaria, la educación secundaria obligatoria (ESO), el bachillerato, la formación profesional (FP), la formación de adultos y las enseñanzas universitarias. Asimismo, también se ofertan las enseñanzas de idiomas, las enseñanzas deportivas y las artísticas, que se enmarcan en las denominadas Enseñanzas de Régimen Especial (ver figura 1). La educación es obligatoria y gratuita desde los 6 hasta los 16 años. El último ciclo de secundaria -que va de los 16 a los 18 años-, también es gratuito.

Figura 2. Esquema del Sistema Educativo LOMCE

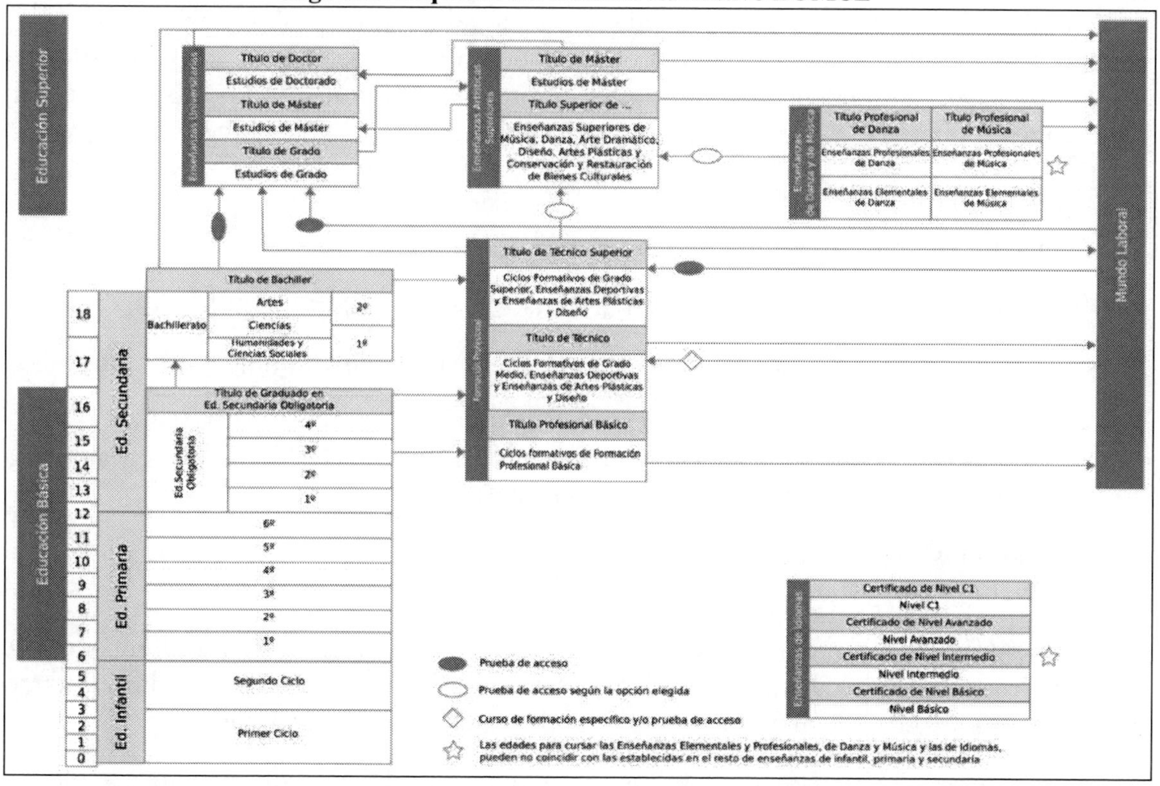

Fuente: Centro Regional de Formación e Innovación Las Acacias, Consejería de Educación y Juventud (2020), según itinerarios del Ministerio de Educación y Formación Profesional del Gobierno de España.

6.4.2. Los centros docentes.

En España, cualquier persona física o jurídica tiene libertad de creación de centros docentes, en el marco del respeto a los principios que marca la Constitución Española.

Clasificación y denominación.

Los centros docentes no universitarios se diferencian en cómo estén clasificados y de las enseñanzas impartidas.

a) Según su clasificación

Los centros docentes *no universitarios* se clasifican en según cuál sea *su titularidad y fuente de financiación:*

- Centros públicos: de titularidad es de la administración educativa y su financiación es mediante fondos públicos.

- Centros privados: de titularidad privada y se financian con fondos privados.

- Centros privados concertados: de titularidad privada, pero pueden estar financiados con fondos públicos mediante un régimen de conciertos.

Es necesario destacar que, la prestación del servicio público de la educación se realiza a través de los centros públicos y los privados concertados. La preferencia para acogerse al régimen de conciertos, la tienen aquellos centros que atienden a poblaciones escolares con condiciones económicas desfavorables o aquellos que desarrollan experiencias pedagógicas de interés para el sistema educativo. En cualquier caso, tienen preferencia los centros que, cumpliendo los anteriores criterios, estén constituidos y funcionen en régimen de cooperativa.

b) Según su denominación

Según cuáles sean las *enseñanzas impartidas* se denominan:

- Escuelas Infantiles (EI): atienden alumnado de educación infantil.

- Colegios de Educación Primaria (CEP): atienden alumnos de educación primaria.

- Colegios de Educación Infantil y Educación Primaria (CEIP): atienden alumnos de las etapas de educación infantil y primaria.

- Institutos de Educación Secundaria (IES): pueden ofrecer la ESO y/o el Bachillerato, y ciclos formativos de FP.

- Centros de Educación Especial (CEE): centros que escolarizan a alumnado que presenta necesidades educativas especiales que no pueden ser atendidas el marco de las medidas de atención a la diversidad de los centros ordinarios.

- Centros de Educación de Adultos: ofertan las enseñanzas para personas adultas.

- Aulas de Educación de Adultos: están integradas dentro de centros docentes de Educación Primaria y/o IES, aunque también pueden pertenecer a ayuntamientos y corporaciones locales. Imparten enseñanzas para personas adultas.

- Colegios Rurales Agrupados (CRA): agrupación de varias escuelas que se unen en un centro único que funciona de manera conjunta. Son centros que se encuentran en zonas rurales cuyas especificidades demográficas requieren de este tipo de agrupación.

- Conservatorios: los centros que imparten las enseñanzas profesionales y, en su caso, elementales, de danza y música.

- Escuelas Oficiales de Idiomas (EOI): centros que ofrecen el nivel básico, intermedio y avanzado de las enseñanzas de idiomas.

- Escuelas de Arte (EA): centros que ofrecen enseñanzas profesionales de artes plásticas y diseño.

La educación domiciliaria.

La legislación española, por su parte, no contempla la impartición de la educación obligatoria en el hogar. Solamente se autoriza excepcionalmente esta modalidad de educación en el hogar o en el hospital, para aquel alumnado que, por causas de salud, no puede asistir a un determinado centro educativo, debido a la necesidad de estancia prolongada en el domicilio por prescripción médica facultativa. La anterior situación, perdurará hasta que finalice la condición de salud que ha propiciado esta modalidad de educación. La educación domiciliaria, se puede desarrollar, dependiendo de la situación del alumno/a, bien en el aula hospitalaria o bien en el domicilio, a partir de un programa de atención educativa domiciliaria.

Las comunidades autónomas son las que regulan legalmente la atención educativa en el domicilio. Así pues, los criterios para su implementación y autorización, varían entre las distintas autonomías. Generalmente, la autorización debe ser concedida por la autoridad de rango superior. También cabe destacar que, el profesorado que atiende al alumnado en este tipo de situación, debe poseer la titulación requerida. La evaluación -exámenes- se podrán desarrollar, y atendiendo a las condiciones de salud del alumno/a, en el hospital o en el domicilio propio.

6.4.3. La admisión del alumnado y la elección del centro educativo.

Las administraciones educativas son las encargadas de regular la admisión del alumnado en determinado centro educativo, con dos objetivos fundamentales:

1. Garantizar el derecho a la educación, el acceso en condiciones de igualdad y la libertad en la elección de centro de los padres o bien de los tutores legales.

2. Considerar una apropiada y equilibrada distribución del alumnado, sin que exista ningún tipo de discriminación por razones religiosas, ideológicas, de sexo, sociales, morales, étnicas o de nacimiento.

En los centros docentes públicos, la ordenación de la admisión es competencia de las administraciones educativas autonómicas y en última instancia también, responsabilidad del Consejo Escolar de los centros. En el caso de los centros privados concertados, esa responsabilidad recae, igualmente, sobre su titular.

Los padres o tutores legales, pueden elegir el centro docente que desean para sus hijos/as, bien sea de titularidad pública o bien de titularidad privada, cumpliendo como único criterio de admisión: la añada de nacimiento del alumno o de la alumna.

a) **Los criterios comunes de admisión del alumnado en el Estado español.**

En el supuesto que no existieran suficientes plazas para cubrir la demanda, se aplican una serie de **criterios prioritarios de admisión**, que son generales en todo el territorio nacional. Se trata de los siguientes criterios:

- La existencia de hermanos que estuvieran matriculados en el centro educativo o de padres o tutores legales que trabajasen en éste.

- La renta per cápita de la unidad familiar.

- La proximidad del domicilio o del lugar de trabajo de los padres o tutores legales.

- La condición de ser familia numerosa.

- La situación de acogimiento familiar del alumno o de la alumna.

- La concurrencia de discapacidad en el alumno o en alguno de los padres o hermanos.

Además de los anteriores criterios, para la etapa del Bachillerato, se tendrá en cuenta el expediente académico del alumnado y, en toda la educación secundaria que el alumnado curse simultáneamente enseñanzas regladas de danza o de música o bien sigan programas deportivos de alto rendimiento. En cualquier de los casos anteriores, tendrán prioridad para ser admitidos en los centros educativos.

Con todo ello, las administraciones educativas pueden incrementar hasta un 10% el número máximo de alumnos por aula en los centros que estén financiados con fondos públicos en una misma área de escolarización:

- Para atender las necesidades del alumnado de incorporación tardía que requiere de una inmediata escolarización.

- Por necesidades de traslado de la unidad familiar.

- Por una medida de acogimiento familiar.

- Por un cambio de residencia motivado de actos de violencia de género o doméstica, o terrorismo.

b) **Los criterios de admisión establecidos por las administraciones educativas autonómicas.**

Además de los criterios de admisión, comunes a todo el Estado español, que se han expuesto anteriormente, en el ámbito de sus competencias, las administraciones educativas autonómicas pueden establecer también, otros criterios. Asimismo, éstas pueden establecer un orden de prelación entre los criterios, distinguiendo entre los prioritarios y los complementarios. Aún más, dentro de los criterios de admisión, se suelen establecer situaciones previamente definidas a las que se asignan una puntuación determinada, para poder baremar cada una de éstas y, para dirimir también, por si los hubiera, los empates de puntuación. Hemos de destacar que, solamente existen tres comunidades autónomas que no establecen ningún criterio de admisión a los comunes para el conjunto del Estado, y éstas son: Extremadura, Navarra y Cantabria.

Cada comunidad autónoma tiene la autoridad de regular la admisión del alumnado en sus centros docentes, sustentados con fondos públicos. En esta línea, las comunidades autónomas constituyen órganos de garantías de admisión (o comisiones) y determinan los medios convenientes para que las familias puedan realizar interpelaciones frente a las decisiones tomadas en los procesos.

6.5. Alumnado con necesidad específica de apoyo educativo.

Fundamentado en el principio de Equidad en la Educación, las Administraciones Educativas deben disponer los medios necesarios para que todo el alumnado alcance el máximo desarrollo personal, intelectual, emocional y social, así como los objetivos establecidos con carácter general en la Ley (LOE, LOMCE). Además, las administraciones educativas podrán establecer planes de centros prioritarios, para apoyar a los centros que escolaricen alumnado en situación de desigualdad social.

En este sentido, las Administraciones Educativas deben asegurar los recursos necesarios para aquel alumnado que requiera una atención distinta a la ordinaria, por presentar necesidades educativas especiales y puedan alcanzar el máximo desarrollo posible de sus capacidades personales y, en última instancia, los objetivos establecidos con carácter general para todo el alumnado. Por lo que se refiere al **alumnado con necesidad específica de apoyo educativo**, son los que presentan cualquiera de las siguientes circunstancias:

- Necesidades educativas especiales.

- Dificultades específicas de aprendizaje.

- Trastorno del Déficit de Atención e Hiperactividad (TDAH).

- Alumnado con altas capacidades intelectuales.

- Incorporación tardía al sistema educativo.

- Condiciones personales o de historia escolar.

La atención integral, al alumnado con necesidad específica de apoyo educativo, se iniciará desde el mismo momento que esta necesidad sea detectada y se guiará por los principios de normalización e inclusión. Asimismo, atañe a las administraciones educativas, el garantizar la escolarización, regular y asegurar la participación de los padres o tutores en las decisiones que afecten a la escolarización y a los procesos educativos de este alumnado, así como proporcionar asesoramiento individualizado e información necesaria a los padres o tutores legales respecto a la educación de sus hijos.

Además, las Administraciones Educativas, promoverán la formación del profesorado y de otros profesionales y podrán colaborar con otras Administraciones o entidades públicas o privadas sin ánimo de lucro, instituciones o asociaciones, para facilitar la escolarización y una mejor incorporación de este alumnado al centro educativo.

A continuación, se exponen de forma sintética, las situaciones que representan al alumnado con necesidad específica de apoyo educativo:

1. *Necesidades educativas especiales.*

    Aquel alumnado que requiere, por un periodo de su escolarización o a lo largo de toda la misma, apoyos y atenciones específicas derivadas de discapacidad o trastornos graves de conducta. La escolarización de este alumnado se guiará por los principios de normalización e inclusión, asegurando la no discriminación y la igualdad efectiva. Además, si se considera necesario, pueden incorporarse medidas de flexibilidad en las distintas etapas educativas. La escolarización de este alumnado, en unidades o centros de educación especial, puede prolongarse hasta los veintiún años, siempre que no puedan ser atendidas sus necesidades por los centros ordinarios.

    Con el propósito de facilitar la integración social y laboral de este alumnado, cuando no pueda alcanzar los objetivos de la educación obligatoria, las Administraciones públicas promoverán ofertas formativas adaptadas a sus necesidades específicas. Además, las administraciones educativas determinarán una reserva de plazas en las enseñanzas de formación profesional para alumnado con discapacidad.

2. *Alumnado con altas capacidades intelectuales*

    Las Administraciones Educativas tienen la competencia de adoptar las medidas necesarias para detectar al alumnado con altas capacidades intelectuales y a su vez, valorar de forma temprana sus necesidades. Asimismo, les corresponde adoptar planes de actuación y programas de enriquecimiento curricular adecuados a dichas necesidades, con la finalidad que este al alumnado pueda desarrollar al máximo sus capacidades.

    El Gobierno, previa consulta a las Comunidades Autónomas, determinará las disposiciones o reglamentos para flexibilizar la duración de cada una de las etapas del sistema educativo para este alumnado, con independencia de su edad.

3. *Alumnos con integración tardía en el sistema educativo*

    Es competencia de las Administraciones públicas el favorecer la incorporación al sistema educativo de los alumnos que, por proceder de otros países u otros motivos, se incorporan tardíamente al sistema educativo. Esta incorporación se garantizará, en todo caso, en la edad de escolarización obligatoria. Asimismo, las Administraciones educativas garantizarán que la escolarización de este alumnado se realice atendiendo a sus singularidades, conocimientos, historial académico y edad, de manera que se puedan incorporar con los apoyos necesarios, al curso académico más acorde a sus conocimientos.

    Por lo comentado, se contemplan programas simultáneos específicos para atender las posibles carencias lingüísticas o conocimientos o competencias básicas que este alumnado pudiera tener, con el fin de su integración en el curso más acorde a sus características y conocimientos. Asimismo, los padres o tutores de este alumnado también han de recibir el asesoramiento necesario correspondiente a los derechos, deberes y oportunidades que supone la incorporación al sistema educativo español.

4. *Alumnado con dificultades específicas de aprendizaje*

Es competencia de las Administraciones educativas acoger las medidas necesarias para identificar a este alumnado y así poder valorar de forma temprana sus necesidades. La identificación, valoración e intervención de este alumnado, se realizará de la forma más temprana posible, en los términos que decidan las Administraciones Educativas.

6.5.1. Compensación de las desigualdades en educación.

Con la finalidad de hacer efectivo el principio de igualdad suscrito en la Ley respecto al ejercicio del derecho a la educación, las Administraciones Públicas han de promover actuaciones de carácter compensatorio en relación a individuos, grupos y ámbitos territoriales que se encuentren en situación desfavorables, además de proveer los recursos y apoyos necesarios para compensar las desigualdades en educación derivadas de causas sociales, económicas, geográficas, étnicas, culturales o de otra naturaleza.

En este sentido, corresponde al Estado y a las Comunidades Autónomas en sus ámbitos de competencia, determinar sus objetivos prioritarios por lo que atañe a medidas de educación compensatoria.

A continuación, se exponen condicionantes a tener en cuenta, para el establecimiento de **medidas de compensación** de las desigualdades en educación:

1. *Escolarización*

   Corresponde a las Administraciones educativas asegurar una actuación preventiva y compensatoria que garantice las condiciones más favorables para la escolarización, de todo aquel alumnado cuyas condiciones personales supongan una desigualdad inicial para acceder a la educación básica y para progresar en los niveles posteriores. Asimismo, se adoptarán las medidas necesarias para una intervención educativa compensatoria en los centros escolares o zonas geográficas que resulte necesario.

   En la educación primaria, se garantizará a todos los alumnos un puesto escolar gratuito en su propio municipio o zona de escolarización establecida. Asimismo, se dotarán a los centros públicos y privados concertados de los recursos humanos y materiales necesarios para compensar la situación de este alumnado para que pueda alcanzar los objetivos de la educación obligatoria, debido a sus condicionantes sociales.

2. *Igualdad de oportunidades en el mundo rural*

   Se tendrá en cuenta las singularidades de la escuela rural, con el fin de proporcionar los medios y mecanismos organizativos necesarios para atender las necesidades específicas y garantizar la igualdad de oportunidades. Las Administraciones Educativas, en la educación básica, en aquellas zonas rurales en que se considere conveniente, se podrá escolarizar a los niños en un municipio próximo al de su residencia para garantizar la calidad de la enseñanza. Además, en este supuesto, se prestarán gratuitamente los servicios escolares de transporte y, en su caso, comedor e internado.

3. *Becas y ayudas al estudio*

Con el propósito de garantizar la igualdad de todas las personas en el ejercicio del derecho a la educación, los alumnos con condiciones socioeconómicas desfavorables tendrán derecho a becas y ayudas al estudio. En la enseñanza postobligatoria, la concesión de becas y ayudas, estará en función del rendimiento escolar del alumnado. El gobierno regulará, con carácter básico, las modalidades, cuantías y el acceso a las becas y ayudas al estudio, sin menoscabo de las competencias regulatorias y de ejecución de las Comunidades Autónomas.

6.5.2. La atención a la diversidad

Conforme a los principios de flexibilidad y de orientación educativa y profesional del alumnado, la Administración Educativa desarrolla medidas de adaptación educativa o curricular. El currículo es la regulación de los elementos que determinan los procesos de enseñanza y aprendizaje en cada una de las enseñanzas del Sistema Educativo. Así, el currículo engloba todo lo que sucede dentro del aula -intereses, objetivos, contenidos, metodología didáctica, planificación y evaluación de los resultados- o del centro educativo (García y Puigvert, 2010).

En los centros educativos ordinarios, en línea con el modelo de educación inclusiva y atención a la diversidad del Sistema Educativo Español (Abellán, 2017b), el desarrollo de medidas para atender a las necesidades educativas contempla la totalidad del alumnado escolarizado.

a) *Medidas de atención a la diversidad*

Son aquellas orientadas a dar respuesta a las necesidades específicas del alumnado y al logro de los objetivos de la etapa educativa. Los centros educativos, han de tener en cuenta la atención a la diversidad, en el diseño de sus propuestas pedagógicas, el acceso de todo el alumnado a la educación común y procurar, así como disponer de métodos que contemplen los diferentes ritmos de aprendizaje del alumnado. Por su parte, las Administraciones Educativas normalizan las medidas más óptimas para la atención al alumnado con dificultades específicas de aprendizaje o de integración en el marco escolar, alumnado con altas capacidades intelectuales y/o con discapacidad. Entre las medidas de atención a la diversidad, debemos destacar:

- Las adaptaciones curriculares.

- Los agrupamientos flexibles.

- La oferta de materias específicas.

- La integración de materias en ámbitos.

- Los programas de refuerzo y trato personalizado.

- Los programas de mejora del aprendizaje y el rendimiento (PMAR).

b) *Medidas de atención a la diversidad de carácter ordinario*

Siguiendo las directrices que establece el Ministerio de Educación y Formación Profesional, las Administraciones Educativas Autonómicas diseñan planes de atención a la diversidad, con el propósito de poner en marcha medidas y actuaciones educativas que permitan adaptar y/o ajustar los procesos de enseñanza-aprendizaje a las características de todo el alumnado. El despliegue de medidas de atención a la diversidad en los citados planes, en función del nivel de apoyo que brinden al alumnado, se clasifican en:

- *Medidas de carácter ordinario.* Aquellas que afectan a la organización general del centro y se aplican de forma normal a todos los alumnos en un momento dado. Pueden ser estrategias organizativas y modificaciones referentes a agrupamientos, incorporación de técnicas de enseñanza-aprendizaje, etcétera, que no modifican los objetivos, contenidos o los criterios de evaluación que vienen delimitados legalmente por la administración educativa.

- *Medidas de carácter extraordinario.* Aquellas dirigidas a dar respuesta a las necesidades educativas más específicas del alumnado, y que complementan a las ordinarias. Su destinatario es el alumnado con dificultades de aprendizaje y que requiere la organización de unos recursos personales y materiales concretos. Estas medidas se aplican solamente en la educación obligatoria.

6.6. Equipos de Orientación Educativa y Psicopedagógica (EOEP).

Estos equipos son los responsables de la orientación educativa en las etapas de infantil y primaria. Los mismos, intervienen en las escuelas infantiles y en los centros de educación infantil y primaria. Los equipos de Orientación Educativa y Psicopedagógica (EOEP), determinan las necesidades específicas de apoyo que pueda presentar el alumnado por dificultades específicas de aprendizaje, por necesidades educativas especiales y por altas capacidades intelectuales. Su finalidad es, la de colaborar en el logro de la mejora de la calidad educativa, principalmente en alumnado con necesidades educativas especiales y, se coordinan con los servicios sociales y sanitarios en el sector.

Los servicios de los equipos EOEP van dirigidos a la comunidad educativa en su conjunto:

- *Alumnado*: Delimitando las necesidades, tanto individuales como del conjunto y, proponiendo respuestas educativas que atiendan a la prevención, detección y evaluación psicopedagógica de aquel alumnado con necesidades educativas especiales.

- *Familias*: Información y asesoramiento sobre las estrategias a desarrollar, para afrontar las dificultades que se puedan presentar en el alumno/a durante su evolución.

- *Centros educativos*: Información y asesoramiento al profesorado en la elaboración, desarrollo y evaluación de los proyectos del centro.

Los equipos EOEP son recursos del sector, con presencia periódica e intervención directa en los centros educativos del área geográfica (o zona) y en coordinación con otros servicios de ésta. Estos equipos están formados por profesionales interdisciplinares constituidos con funciones especializadas en orientación e intervención educativa, servicios a la comunidad, apoyando al sistema escolar en sus distintos niveles educativos. Generalmente los equipos EOEP, están formados por profesores del cuerpo de educación secundaria con especialidad de orientación educativa, profesores técnicos de servicios a la comunidad y especialistas en lenguaje, audición y pedagogía terapéutica.

Se distinguen tres tipos de EOEP:

- *Atención Temprana.* Desarrollan actuaciones preventivas y colaboran, en coordinación con otras entidades del sector, en la detección y atención de los problemas de desarrollo en los primeros años de vida, y determinan las necesidades educativas especiales.

- *Generales.* Son los responsables de la orientación en los centros de educación infantil y primaria que escolarizan alumnos entre los 3 y los 12 años de edad.

- *Específicos.* Desarrollan sus actuaciones en el proceso educativo en aquel alumnado que presenta discapacidad (visual, motora o auditiva) o trastornos generalizados del desarrollo.

Estos servicios especializados, pueden ser tanto internos como externos a los centros educativos y vienen determinados por cada Comunidad Autónoma. En los servicios especializados externos encontramos los EOEP entre cuyas funciones propias destacan:

- Contribuir a la mejora de la enseñanza y la calidad del aprendizaje, ofreciendo soporte técnico vinculado con: documentos del centro que tengan que ver con la atención a la diversidad, la puesta en marcha de medidas ordinarias o extraordinarias de atención a la diversidad y la realización de evaluaciones psicopedagógicas.

- Contribuir a la mejora del funcionamiento de las estructuras organizativas de los centros: Consejo escolar, Equipo directivo, entre otras.

- Fomentar la colaboración y/o cooperación de las familias con el centro educativo.

La dimensión social de los problemas del alumnado con necesidades específicas de apoyo educativo, requiere ineludiblemente de la atención de los profesionales especializados en Trabajo Social, resulta necesario que éstos se complementen y coordinen interinstitucionalmente con los EOEP. El Trabajo Social, en colaboración estrecha con los servicios y gabinetes psicopedagógicos escolares, debe elaborar un diagnóstico social que incorpore todos los elementos intra y extra escolar, en coordinación con el sistema municipal de Servicios Sociales Generales, para atender los casos tanto en su entorno familiar y en sus barrios, como en el entorno social del centro escolar (De Rivas y Hervás, 1994).

6.7. Conclusiones.

En el presente capítulo, hemos tratado de ofrecer una visión general y a la vez, lo más detallada posible, del Sistema Educativo Español, atendiendo a su marco jurídico-normativo, a sus estructuras institucionales básicas y a su ordenación general.

También se ha puesto en valor, la necesidad de trabajar en el conocimiento de las principales situaciones, acciones y medidas de compensación de las desigualdades, así como en la atención de la diversidad en la educación, para resaltar este "derecho humano esencial" que lo constituye el derecho a la educación y que debe ser inalienable a cada persona, con independencia de sus características sociales, económicas y personológicas concretas.

De todo ello, se desprende la idea de que la educación necesita convertirse en el proceso clave que está llamado a ser en nuestras sociedades democráticas y concienciadas, para lo cual, las estructuras administrativas y la ciudadanía en general, debemos tomar parte activa y contribuir a que, lo dispuesto en las leyes, en los programas, planes y estrategias de acción, no se convierta en letra muerta y, contrariamente a ello, se traduzca en una realidad palpable, inspiradora y factible de alcanzar.

EJERCICIO 1: Visita la pàgina web del *Ministerio de Educación y Formación Profesional* y señala qué becas, ayudas y subvenciones para estudiar se ofertan en el ámbito de la enseñanza universitaria para los estudios de Grado, de Máster y de Doctorado.

EJERCICIO 2: Indica los criterios prioritarios de admisión del alumnado que establece la Administración Educativa de tu Comunidad Autónoma (Consulta en la página web correspondiente).

EJERCICIO 3: Valore críticamente, los principios sobre los que se soporta el Sistema Educativo Español, recogidos en el artículo 1 de la LOE y que destacan desde una perspectiva social. Realice una comparación de dichos principios con los Modelos de Intervención Escolar, desarrollados en la práctica educativa.

EJERCICIO 4: Qué relación podemos encontrar entre los Modelos de Intervención Escolar desarrollados en la práctica educativa y las actuaciones relativas a la atención a la diversidad.

Capítulo 7. EMPLEO: CONTEXTO, ESTRUCTURAS Y POLITICAS FRENTE AL DESEMPLEO

Enric Sigalat
Universitat de València

Angel Joel Méndez-López
Universitat de València

José Javier Navarro-Pérez
Universitat de València

7.1. Introducción

El empleo es un elemento crucial para el sostenimiento y desarrollo de cualquier sociedad. Ciertamente, es el cimiento de la economía productiva y, como tal, un elemento fundamental para el crecimiento y articulación económica. Asimismo, el empleo actúa también como elemento de cohesión y justicia social. A nivel individual, cuando éste cumple con unos estándares de calidad, actúa como elemento de integración social. Así pues, si el empleo es un elemento de inclusión e integración para las personas, el desempleo es todo lo contrario, un factor de exclusión. Y aunque el empleo no es la única vía de integración de las personas, ciertamente ocupa un rol importante en la sociedad, proporcionando en los individuos unos mínimos de seguridad. Lógicamente, la globalización ha influido de una u otra manera en la dualización del mercado de trabajo, teniendo efectos de desprotección y fragilidad para determinadas personas y colectivos; y, por tanto, haciéndolos más vulnerables.

En este sentido, apunta Beck (2000), que la sociedad laboral se ha convertido en una sociedad del riesgo. Así, en el actual marco de la economía política de la inseguridad, estamos asistiendo a la irrupción de lo precario, impreciso, discontinuo e informal en ese fortín que era la sociedad del pleno empleo en Occidente. Conocer el marco normativo, las estructuras institucionales con las que cuenta la administración, tanto nacional y autonómica como europea, la política de empleo y las estrategias de lucha contra el desempleo por parte de los poderes públicos, así como los programas y servicios de las políticas de bienestar en materia de empleo, configuran el propósito del presente capítulo.

7.2. Contexto normativo y estructuras institucionales

El Real Decreto legislativo 3/2015, de 23 de octubre, por el que se aprueba el texto compendiado de La Ley de Empleo, es la normativa de referencia que regulariza el Sistema Nacional de Empleo en España. El citado real decreto, fue sometido a consulta por las organizaciones sindicales y empresariales más representativas, siendo aprobado el texto refundido de la Ley de Empleo de acuerdo con el Consejo de Estado y previa deliberación del Consejo de Ministros el día 23 de octubre de 2015.

El derecho al trabajo es una de los cimientos sobre los que se asienta jurídicamente el modelo laboral de nuestra Constitución Española. Así queda recogido en el artículo 35 de la Constitución, que señala que: "Todos los españoles tienen el deber de trabajar y el derecho al trabajo, a la libre elección de profesión u oficio, a la promoción a través del trabajo y a una remuneración suficiente para satisfacer sus necesidades y las de su familia, sin que en ningún caso pueda hacerse discriminación por razón de sexo".

En este sentido, el derecho al trabajo aparece configurado como un derecho que no solamente abarca su reconocimiento formal sino también y primordialmente, subyace el deber de los poderes públicos de impulsar su realización efectiva. Con este propósito, los poderes públicos diseñan e instrumentan toda una serie de medidas entendidas como políticas de empleo con la pretensión de dinamizar y avivar la creación de empleo, contrarrestar los posibles desajustes de la oferta de trabajo y mejorar el propio funcionamiento del mercado de trabajo y las condiciones laborales de los trabajadores.

En línea con lo comentado, destacar que el artículo primero del título preliminar del texto refundido de la Ley de Empleo, especifica y determina cuál es el propósito de la política de empleo:

"Teniendo en cuenta lo establecido en los artículos 40 y 41 de la Constitución Española, la política de empleo es el conjunto de decisiones adoptadas por el Estado y las comunidades autónomas que tienen por finalidad el desarrollo de programas y medidas tendentes a la consecución del pleno empleo, así como la calidad en el empleo, a la adecuación cuantitativa y cualitativa de la oferta y demanda de empleo, a la reducción y a la debida protección de las situaciones de desempleo.

La política de empleo se desarrollará, dentro de las orientaciones generales de la política económica, en el ámbito de la estrategia coordinada para el empleo regulada por el Tratado de Funcionamiento de la Unión Europea".

En este sentido, corresponde al Gobierno, a través del Ministerio de Empleo y Seguridad Social, la coordinación de la política de empleo, así como la gestión y control de las prestaciones por desempleo. Son objetivos generales de la política de empleo:

- Garantizar la efectiva igualdad de oportunidades y la no discriminación, en el acceso al empleo y en las acciones orientadas a conseguir éste.
- Mantener un sistema eficaz de protección ante situaciones de desempleo, que comprendía tanto las políticas activas de empleo como las prestaciones por desempleo.

- Adoptar un enfoque preventivo frente al desempleo, con especial mención al de larga duración, activando políticas activas de empleo que mejoren la cuestión de la ocupabilidad, así como acciones formativas que anticipen los previsivos cambios del mercado de trabajo.
- Asegurar políticas adecuadas de integración laboral dirigidas a colectivos con dificultades de inserción laboral (jóvenes, mayores de 45 años, mujeres, etcétera).
- Asegurar la libre circulación de los trabajadores y facilitar su movilidad geográfica, tanto a nivel estatal como en el contexto europeo.
- Proporcionar servicios individualizados a la población activa para su permanencia y progreso en el mercado laboral, así como a las empresas para la mejora de la competitividad.
- Mantener la unidad del mercado de trabajo en todo el país teniendo en cuenta las singularidades territoriales y corregir los posibles desequilibrios territoriales.
- Fomentar la cultura emprendedora y el espíritu empresarial.

Por lo que atañe a la planificación y ejecución de la política de empleo, corresponde a las Comunidades Autónomas en su espacio territorial el desarrollo, fomento y ejecución de la política de empleo, así como la ejecución de los programas, las medidas y la legislación laboral que les hayan sido transferidas por parte del Gobierno.

El **Ministerio de Trabajo, Migraciones y Seguridad Social**, personaliza el armazón institucional referente en materia de trabajo de seguridad social de la Administración General del Estado (AGE), así como el desarrollo de la política gubernamental en cuestiones de migración y de extranjería. Vinculado a este Ministerio, se halla el **Servicio Público de Empleo Estatal** (SEPE), organismo autónomo de la Administración General del Estado cuya función es la de ordenación, desarrollo, coordinación y acompañamiento de las medidas y programas de la política de empleo.

Destacar que, si bien la educación y la formación son competencia de los Estados, las iniciativas europeas y sus directrices pretenden guiar la formulación de políticas nacionales, contribuyendo las instituciones de la UE –y la Comisión Europea, en particular- a establecer el marco y a marcar el rumbo. La Comisión Europea financia proyectos en las áreas de empleo, asuntos sociales e inclusión social mediante diferentes fondos y programas como podremos observar en este capítulo. El **Fondo Social Europeo** (FSE) es el principal instrumento con el que Europa apoya la creación de empleo, ayuda a las personas a conseguir mejores puestos de trabajo y garantiza oportunidades laborales más justas para todos los ciudadanos de la UE. Para ello, el FSE invierte en capital humano europeo: trabajadores, jóvenes y todas aquellas personas que buscan empleo.

La **Estrategia Europea de Empleo** empieza en 1997, cuando los estados miembros de la UE establecieron un conjunto de objetivos comunes de la política de empleo con el propósito de crear más empleo y mejores puestos de trabajo en la UE. La puesta en práctica de la citada Estrategia, se realiza a través del semestre europeo –nombre que recibe el procedimiento anual de coordinación de las políticas económicas entre los Estados miembros y las instituciones europeas-.

El Parlamento Europeo, el Consejo y la Comisión establecieron el **pilar europeo de los derechos sociales**[8] a raíz de la Cumbre Social celebrada en *Gotemburgo* el 17 de noviembre de 2017. Los veinte principios clave del pilar europeo se estructuran en torno a tres apartados principales: igualdad de oportunidades y de acceso al mercado de trabajo, condiciones de trabajo justas y la protección e inclusión social. Así, este pilar debe contribuir tentativamente a que el modelo social europeo esté preparado para los desafíos y retos de nuestro siglo y al fomento del proceso de convergencias de los distintos Estados miembros.

7.3. Organización del Sistema Nacional de Empleo[9]

El Sistema Nacional de Empleo es el conjunto de estructuras, medidas y actuaciones requeridas para promover y desplegar la política de empleo. Está constituido por el **Servicio Público de Empleo Estatal** (SEPE) y los **Servicios Públicos de Empleo de las Comunidades Autónomas** (CCAA), para coordinar los instrumentos, las estrategias y las acciones tanto estatales como autonómicas, siendo el propósito último el de conseguir el pleno empleo dentro del sistema descentralizado, ajustándose a las diferentes realidades territoriales en el marco del Estado de las Autonomías.

El Servicio Público de Empleo Estatal tiene competencias en la gestión de las prestaciones por desempleo, así como para ordenar, desarrollar y realizar el seguimiento de los programas y medidas de las políticas de empleo y coordinar la red territorial. Esta red territorial la configuran un amplio conjunto de entidades que cooperan con los Servicios Públicos de Empleo en la prestación de los servicios de políticas de activación para el empleo, tales como organizaciones empresariales y sindicales, organizaciones sin ánimo de lucro, centros de formación, agencias de colocación, corporaciones locales, entre otras entidades colaboradoras.

Por otro lado, los Servicios de Empleo Autonómicos son los organismos a los cuáles se les encomienda en el ámbito territorial autonómico, las funciones necesarias para la gestión de la intermediación laboral y de las políticas activas de empleo. Es decir, éstos tienen la competencia para gestionar la atención a las personas desempleadas o desocupadas y también a las empresas.

La **coordinación** del Sistema Nacional de Empleo se lleva a término a través de los siguientes instrumentos:

- *La Estrategia Española de Activación para el Empleo.* Ésta se elabora por parte del Gobierno en colaboración con las Comunidades Autónomas y cuenta con la participación de las entidades empresariales y sindicales más representativas, consultándose también para su elaboración tanto al Consejo del Trabajo Autónomo como al Consejo de Fomento de la Economía Social.

---

[8] El pilar de los derechos sociales, capítulos y principios clave (*European Commission*). Enlace https://ec.europa.eu/commission/priorities/deeper-and-fairer-economic-and-monetary-union/european-pillar-social-rights/european-pillar-social-rights-20-principles_en
[9] Real Decreto Legislativo 3/2015, de 23 de octubre, por el que se aprueba el texto refundido de la Ley de Empleo (BOE núm. 255, de 24.10.2015).

- *Los Planes Anuales de Política de Empleo.* De forma resumida, estos concretan con carácter anual los objetivos de la Estrategia Española de Activación para el Empleo a lograr a nivel estatal como de cada una de las autonomías, con un despliegue de indicadores con el propósito de conocer y dar cuenta del grado de cumplimiento de los objetivos.

- *El Sistema de Información de los Servicios Públicos de Empleo.* Se configura como un sistema de información común que queda organizado informáticamente, integrando toda la información que realizan los servicios públicos de empleo del conjunto del Estado.

El cometido principal del Sistema Nacional de Empleo es el de contribuir al despliegue de la política de empleo, gestionar el sistema de protección por desempleo y garantizar la información sobre el mercado de trabajo para conseguir la inserción y permanencia de los trabajadores en el ámbito laboral, así como la mejora del capital humano de las empresas. Para ello cuenta, con la colaboración de los Servicios Públicos de Empleo Autonómicos y demás agentes clave del mundo laboral. Así, de entre las principales funciones del Servicio Público de Empleo Estatal (SEPE) se destacan:

- La planificación e impulso de propuestas de política de empleo centradas en las necesidades de las personas y empresas (formación profesional para el empleo, programas de fomento del empleo, etc.).
- La gestión y control de las prestaciones por desempleo.
- La realización de estudios y análisis tanto estatales como provinciales de la situación del mercado de trabajo y la aportación de medidas de mejora.

7.3.1. La política de empleo

Como se ha comentado, se refiere a todas aquellas medidas que tienen como objetivo el conseguir una articulación eficiente del mercado de trabajo y la mejora de las condiciones laborales de los trabajadores, con el propósito de crear empleo y reducir el paro.

Las **políticas de empleo** se dividen (y diferencian) en:

a) *Políticas activas.* Son las dirigidas a aplacar las situaciones de desigualdad y desequilibrios producidos por los fallos del mercado de trabajo. El propósito de estas políticas es la cooperación a la mejora del funcionamiento del mercado de trabajo. Estas políticas están constituidas por el conjunto de programas que permiten la consecución del empleo, el ajuste de la oferta y la demanda y la disminución de las situaciones de desempleo (Sánchez-Mora y García-Palma, 2017). Éstas tratan de activar y fomentar el empleo y evitar el desempleo, anticipándose a las situaciones de desempleo derivadas de los cambios económicos y tecnológicos del mercado de trabajo y las empresas. El planteamiento de la "activación" se desarrolla a partir de la década de los años 80, donde se considera que el desempleado debe "activarse" y asumir un papel más dinámico en su proceso de retornar al empleo, siendo la persona quien asuma la responsabilidad de su empleabilidad y el Estado lo acompaña a través de estas políticas (Martínez, 2011).

b) *Políticas pasivas.* Son las dirigidas a paliar la falta de ingresos económicos de las personas que se encuentran en situación de desempleo. Nos referimos a los subsidios y prestaciones por desempleo. Para acceder a estas prestaciones de protección por desempleo las personas beneficiarias deben encontrarse en situación de desempleo y estar buscando activamente empleo. Se diferencian dos niveles como veremos más adelante: contributivo y asistencial.

7.3.2. Los instrumentos de la política de empleo

Los instrumentos de la política de empleo son:

- La intermediación laboral
- Las políticas activas de empleo
- La coordinación entre las políticas activas y la protección económica frente al desempleo.

a) *La intermediación laboral.*

Es el conjunto de acciones cuyo propósito es poner en contacto las ofertas de trabajo con las personas que buscan empleo. Su finalidad es la de proporcionar a los trabajadores un empleo adecuado a sus características, así como facilitar a los empleadores a los trabajadores y trabajadoras más apropiados a sus especificidades y necesidades.

Es también intermediación laboral toda aquella actividad destinada a recolocar a trabajadores que resultaran excedentes en procesos de reestructuración empresarial, cuando ésta haya sido establecida y acordada con los propios trabajadores o sus representantes en sus correspondientes programas de recolocación o planes sociales. Independientemente del agente que realice la intermediación, se trata de un servicio de carácter público.

Figura 3. Mecanismos de la intermediación en el mercado de trabajo

Fuente: Elaboración propia

El servicio se realiza de forma gratuita tanto para los trabajadores como empleadores. Así mismo, a efectos de intermediación laboral, únicamente tendrán la consideración de demandantes de empleo, independientemente del agente que la realice, quienes consten como inscritos en los servicios públicos de empleo. En el caso de colectivos con especiales dificultades para la inserción, y en materia de intermediación laboral, los servicios públicos de empleo pueden apoyarse en entidades colaboradoras especializadas para el desarrollo de este proceso.

b) *Las políticas activas de empleo.*

De acuerdo con Valverde (2014), se trata del conjunto de instrumentos de que disponen las distintas administraciones tanto a escala estatal como autonómica, para contribuir a la minoración de los desajustes existentes entre la oferta y demanda de trabajo. Estas políticas tratan de incidir de forma directa en el funcionamiento del mercado laboral al objeto de disminuir los desajustes que se manifiestan en la existencia del desempleo.

Nos referimos a los servicios y programas de orientación, empleo y formación profesional para el empleo dirigidas a mejorar las posibilidades de acceso al empleo -sea por cuenta propia o ajena- de las personas desempleadas, al mantenimiento del empleo y a la promoción profesional de las personas ocupadas y al fomento del espíritu empresarial y de la economía social.

Las políticas activas de empleo pueden englobarse en tres tipos de categorías de actuación (Benito et al., 2014; Romero, 2006 y 2017):

1. Políticas de formación. Son políticas que actúan claramente por el lado de la oferta (trabajadores), pues buscan aumentar las posibilidades de inserción de los desempleados a través de programas de formación ocupacional o continua.

2. Políticas de fomento del empleo. Son políticas que actúan claramente por el lado de la demanda (empresarios) cuya función, es el aumentar la demanda de trabajo. Se dirigen fundamentalmente a las empresas mediante la concesión de subvenciones a la contratación de colectivos con dificultades de inserción laboral (jóvenes, mujeres, parados de larga duración, etc.), así como bonificaciones en las cotizaciones empresariales.

3. Políticas de orientación. Son políticas con actuaciones conjuntas por el lado de la oferta y la demanda que tratan de mejorar la relación entre oferta y demanda de trabajo a través de la orientación búsqueda empleo, la gestión de ofertas de trabajo y la contratación.

c) *La coordinación entre las políticas activas y la protección económica frente al desempleo.*

Las políticas de empleo conectan y se complementan con la protección por desempleo ordenada en el texto reformulado de la Ley General de la Seguridad Social. Así, la acción protectora por desempleo integra las prestaciones por desempleo de condición asistencial y contributiva, y las actuaciones que constituyen las políticas activas de empleo.

7.3.3. El acceso de las personas desempleadas a los servicios públicos de empleo

El acceso se efectúa mediante la inscripción y recogida de datos a partir de una entrevista diagnóstico inicial que conlleva una valoración de los servicios que requiere la persona desempleada para su inserción laboral. A partir de ésta, y con el acuerdo si procede de la persona desempleada, se determina y da comienzo un itinerario personalizado e individualizado de empleo. Para ello se tiene en cuenta el perfil profesional (antecedentes y competencias profesionales), las necesidades y expectativas de la persona, así como la situación del mercado de trabajo y si la persona desempleada pertenece a alguno de los colectivos definidos como prioritarios por sus dificultades de inserción.

a) *Itinerario individual y personalizado de empleo.* La articulación del itinerario individual y personalizado de empleo, se conforma como un derecho para la persona desempleada y como una obligación para los servicios públicos de empleo. Este itinerario contempla:

- Entrevista de diagnóstico individualizada.

- La suscripción y firma de un acuerdo personal de empleo. La persona beneficiaria se compromete a participar de forma activa en las acciones para la mejora de su empleabilidad y de búsqueda activa de empleo, o puesta en marcha de una iniciativa de carácter empresarial. Por el contra, el servicio público de empleo se compromete a la planificación y asignación de las acciones y medidas necesarias a tal fin. En el caso de personas beneficiarias de prestaciones y subsidios por desempleo, este acuerdo formará parte del compromiso de actividad.

- Seguimiento del itinerario por parte de los servicios públicos de empleo.

El incumplimiento de la persona beneficiaria, por causas no justificadas, del acuerdo personal de empleo es motivo de sanción. Los servicios públicos de empleo son los responsables de la realización, seguimiento, evaluación y posible redefinición de los itinerarios individuales y personalizados de empleo, y, en su caso, derivarán la realización de las acciones a desarrollar por las personas demandantes de empleo a las entidades colaboradoras.

b) *Los colectivos prioritarios.* Tanto el Gobierno como las Comunidades Autónomas implantan programas concretos con el propósito de fomentar el empleo en personas con especiales dificultades de integración en el mercado laboral, prestando especial interés a:

- Parados de larga duración
- Mayores de 45 años
- Mujeres
- Personas con responsabilidades familiares

- Personas con limitación de la actividad o en situación de exclusión social
- Inmigrantes, con respeto a la legislación de extranjería, u otros que se puedan determinar, en el marco del Sistema Nacional de Empleo.

Debido a las especiales circunstancias de estos colectivos, cuando fuera necesario, los servicios públicos de empleo prevén la coordinación con los servicios sociales para dar una mejor atención a estas personas.

7.4. Prestaciones y medidas

7.4.1. Servicios del Sistema Nacional de Empleo prestados por los servicios públicos de empleo

Estos servicios se proporcionan a las personas desempleadas, a las ocupadas y también a las empresas -indistintamente de su condición jurídica-. La Cartera Común de Servicios del Sistema Nacional de Empleo agrupa los servicios cuya prestación debe ser garantizada por todos los servicios públicos de empleo y en todo el territorio nacional.

Con todo, es importante señalar que cada servicio público de empleo podrá establecer su propia cartera de Cartera de servicios, que incluirá, además de la citada Cartera Común, todos aquellos otros servicios adicionales que el servicio público de empleo considere para su propio ámbito territorial.

Cartera Común de Servicios del Sistema Nacional de Empleo

Son cuatro los servicios que incluyen la mencionada Cartera Común:

Figura 4. La Cartera Común de Servicios del Sistema Nacional de Empleo

Fuente: Elaboración propia

a) Servicio de orientación profesional. Tiene por objeto la información, diagnóstico, asesoramiento y acompañamiento en las transiciones laborales, considerando las diversas situaciones de empleo y desempleo que pueden darse a lo largo de la vida laboral. La finalidad de este servicio es la de ayudar a mejorar la empleabilidad, promover la carrera profesional y facilitar la contratación u orientar hacia el autoempleo.

Tabla 1. Actividades del servicio de orientación profesional

Actividades	1. Diagnóstico individualizado y elaboración del perfil del usuario/a 2. Diseño del itinerario personalizado para el empleo 3. Acompañamiento personalizado en el desarrollo del itinerario y el cumplimiento del compromiso de actividad 4. Asesoramiento y ayuda técnica adicional (definición del currículo y aplicación de técnicas activas de búsqueda de empleo) 5. Información y asesoramiento adicional (situación del mercado de trabajo, las políticas activas de empleo y oferta de los servicios comunes y complementarios de la cartera; y, oferta formativa y los programas que faciliten la movilidad para la formación y cualificación europeas) 6. Apoyo a la gestión de la movilidad laboral (tanto en el ámbito nacional, europeo e internacional) disponible a través de la red EURES

Fuente: Elaboración propia, a partir de Cartera Común de Servicios del Sistema Nacional de Empleo del SEPE (2020).

b) Servicio de colocación y asesoramiento a empresas. Tiene por objeto el identificar y gestionar las ofertas de trabajo nacionales y las procedentes del resto de países de la Unión Europea (UE) u otros países. Así como detectar y desarrollar nuevas oportunidades de empleo conexionando a los usuarios/as que mejor se adapten al perfil y competencias requeridas, además de proporcionar a los trabajadores información de las ofertas de empleo disponibles. El fin es facilitar a los empleadores los trabajadores más acordes a sus requerimientos, así como proveer información referente a los procesos de contratación.

Tabla 2. Actividades del servicio de colocación y asesoramiento a empresas

Actividades	1. Gestión de las ofertas de empleo a través de la casación entre ofertas y demandas 2. Información y asesoramiento sobre la contratación y las medidas de apoyo a la activación, la contratación e inserción en la empresa 3. Comunicación de la contratación laboral y de las altas, períodos de actividad y certificados de empresa 4. Apoyo a los procesos de recolocación en los supuestos previstos legalmente

Fuente: Elaboración propia, a partir de Cartera Común de Servicios del Sistema Nacional de Empleo del SEPE (2020).

c) Servicio de formación y cualificación para el empleo. Tiene como objeto promover la formación, cualificación profesional, recualificación y actualización constante de las competencias profesionales. La finalidad es la de facilitar la transición al empleo, con la tentativa de ajustar la oferta formativa a las singularidades y necesidades del mercado de trabajo. Finalmente, este servicio proporciona a sus usuarios la mejora de sus competencias profesionales, así como el reconocimiento de competencias adquiridas por la experiencia laboral.

Tabla 1. Actividades de formación y cualificación para el empleo

Actividades	1. Formación profesional para el empleo acorde a las necesidades de los usuarios. Formación dual, en alternancia con el empleo, promoviendo asimismo la formación profesional dual mediante la celebración de contratos para la formación y el aprendizaje, así como una acreditación oficial *-certificado de profesionalidad-* de las cualificaciones profesionales del Catálogo Nacional de Cualificaciones Profesionales en el ámbito de la administración laboral. Este certificado tiene carácter oficial y es válido para todo el territorial nacional 2. Control, seguimiento y evaluación de la calidad de la formación 3. Evaluación, reconocimiento y acreditación de las competencias profesionales adquiridas a través de la experiencia laboral 4. Mantenimiento y actualización de la cuenta de formación (histórico formativo del trabajador) 5. Inscripción, acreditación y selección de centros y entidades de formación profesional para el empleo 6. Gestión de los instrumentos europeos para favorecer la movilidad en la formación y cualificación profesional

Fuente: Elaboración propia, a partir de Cartera Común de Servicios del Sistema Nacional de Empleo del SEPE (2020).

d) **Servicio de asesoramiento para el autoempleo y emprendimiento.** Tiene como finalidad el apoyar y fomentar iniciativas emprendedoras y de creación de empleo y autoempleo, con especial atención al trabajo autónomo y a la economía social.

Tabla 2. Actividades de asesoramiento para el autoempleo y emprendimiento

Actividades	1. Asesoramiento para el autoempleo y el emprendimiento 2. Fomento de la economía social y del emprendimiento colectivo 3. Asesoramiento sobre ayudas a las iniciativas emprendedoras y de autoempleo 4. Asesoramiento sobre incentivos y medidas disponibles para el fomento de la contratación

Fuente: Elaboración propia, a partir de Cartera Común de Servicios del Sistema Nacional de Empleo del SEPE (2020).

7.4.2. El Servicio público de Empleo Estatal (SEPE). Encontrar trabajo

El **SEPE** ofrece toda una serie de información relativa a **programas, redes, centros y portales de información** -que unido al tradicional itinerario individual y personalizado de empleo-, permiten a sus usuarios realizar una interacción gratuita, libre y directa con información referente a la **búsqueda de empleo**. A destacar:

a) **La iniciativa europea *Garantía juvenil*: jóvenes y mercado laboral**

Este programa trata de facilitar el acceso de los jóvenes al mercado de trabajo. Se dirige a jóvenes que buscan empleo que no se encuentren en situación de estudiar o formarse, que no estén trabajando, y quieran lograr su inserción plena en el mercado laboral. La recomendación europea que estableció esta iniciativa, requiere que cada joven pueda recibir una oferta en un periodo de cuatro meses desde el momento de su inscripción.

La inscripción en este programa se puede solicitar siempre que se cumplan unos requisitos, entre otros, destacan: el tener entre más de 16 y menos de 30 años en el momento de la inscripción y tener nacionalidad española o, en su caso, ser ciudadano de la Unión Europea (UE) o de los Estados parte del Acuerdo Económico Europeo o Suiza o ser extranjero titular de una autorización para residir en territorio español que habilite para trabajar.

b) Red EURES (*European Employment Services*): trabajar en Europa

Se trata de una red de cooperación para el empleo y la libre movilidad de los trabajadores de la UE, tal como se señala en los artículos correspondientes del Tratado que crea la Comunidad Europea y los principios fundamentales de la propia UE. El propósito de esta red, es la de prestar servicios tanto a los trabajadores como a los empresarios, y cualquier ciudadano que desee beneficiarse del principio de la libre circulación de personas, proporcionando información y asesoramiento sobre ofertas y demandas de empleo, procesos de selección e información laborales, información relativa a la evolución del mercado de trabajo y de las condiciones de vida de los diferentes países europeos, así como la información del Portal europeo de la movilidad laboral de EURES[10] en la Comisión Europea.

c) Centros Especiales de Empleo: discapacidad y empleo

La finalidad principal es el de proporcionar a los trabajadores con discapacidad la realización de un trabajo productivo y remunerado, acorde a las singularidades personales y que facilite la integración laboral de la persona en el mercado de trabajo. Los centros especiales de empleo pueden ser creados por las Administraciones Públicas de forma directa, o en colaboración con otros organismos o entidades que tengan capacidad jurídica y de obrar para ser empresarios; de carácter público o privado, con o sin ánimo de lucro. La gestión de estos centros está sujeta a las mismas normas que cualquier empresa. La calificación e inscripción de estos centros se realiza en el Registro de Centros del Servicio Público de Empleo Estatal (SPEE), o, en su caso, en el correspondiente de las Administraciones Autonómicas.

Los destinatarios finales de estos centros, deben encontrarse en alguno de los siguientes supuestos:

- Personas con parálisis cerebral, con enfermedad mental o con discapacidad intelectual, con un grado de minusvalía reconocido $\geq 33\%$.
- Personas con discapacidad física o sensorial, con un grado de minusvalía reconocido $\geq 65\%$.

d) Portal Empléate

El objetivo de este portal de empleo, es ofrecer una interacción directa, sencilla y gratuita ente los demandantes de empleo (ciudadanos) y entre los ofertantes de empleo (empresas). Se ofrece la posibilidad a los demandantes de acceder a todas las ofertas de empleo disponibles en este portal, a los puestos de trabajo vacante, a las últimas noticias en cuanto a contratación, a las ocupaciones más contratadas y otra información relativa a las ocupaciones del SEPE. Asimismo, se puede acceder a ofertas de empleo internacionales. El registro en este portal de empleo, conlleva el beneficiarse de servicios como el anunciarse como demandante de empleo,

---

[10] EURES: http://www.sepe.es/HomeSepe/Personas/encontrar-trabajo/empleo-europa.html

el crear alertas para recibir ofertas por correo electrónico o SMS, así como asesoramiento a la hora de confeccionar el currículum, entre otras.

7.5. Medidas de protección económica frente al desempleo[11]

Las prestaciones por desempleo se catalogan en dos niveles:

1. **Nivel contributivo.** Prestación económica por desempleo total o parcial que se abona en función del tiempo y cuantía de cotización, y es sustitutiva de las rentas dejadas de percibir como consecuencia de la suspensión del contrato laboral o por la reducción de la jornada.

2. **Nivel asistencial.** Se trata de un subsidio que se otorga a las personas en situación de desempleo que han agotado la prestación contributiva, así como una actuación protectora frente a determinadas coyunturas (liberados o liberadas de prisión, etc.).

Los Servicios Públicos de Empleo deben garantizar la participación de las personas solicitantes y beneficiarias de prestaciones por desempleo en las actividades específicas determinadas en la Cartera Común de Servicios y de los servicios complementarios, por medio de un compromiso de actividad cuyas acciones son gestionadas por los Servicios Públicos de Empleo por medio de la designación de un orientador/a.

7.5.1. Tipos de prestaciones frente al desempleo[12]. Algunos ejemplos

a) Prestación de desempleo (o seguro de desempleo)

Se trata de un pago mensual temporal abonado por parte del Servicio Público de Empleo Estatal (SEPE) a las personas que cumplan una serie de requisitos, que se hayan quedado sin empleo de forma involuntaria y que estén dispuestos y quieran trabajar nuevamente. Para ello, deberán inscribirse como demandantes de empleo.

Así mismo, el seguro de desempleo es un derecho que adquiere cualquier trabajador/a que haya cotizado a la Seguridad Social por un tiempo determinado. En esta línea, según el tiempo trabajado y cotizado, se determinará el tiempo de cobro de esta prestación a la que tendrá derecho cualquier trabajador/a.

b) Capitalización de la prestación por desempleo (pago único)

Consiste en el adelanto de la prestación por desempleo para aquellas personas que deciden hacerse autónomos, crear un negocio o incorporarse de forma estable como socios trabajadores

[11] Ministerio de Trabajo, Migraciones y Seguridad Social (2020). Prestaciones Servicio Público de Empleo Estatal. Recuperado: http://www.sepe.es/contenidos/personas/prestaciones/distributiva_prestaciones.html

[12] Prestaciones: ayudas a colectivos. Servicio Público de Empleo Estatal (SEPE). Ministerio de Trabajo y Economía social https://www.sepe.es/HomeSepe/Personas/distributiva-prestaciones.html <consulta abril 2020>.

a cooperativas o sociedades laborales en funcionamiento o crearlas. Así pues, el pago único ("capitalizar la prestación") es una medida de fomento de empleo cuya finalidad es facilitar la puesta en marcha de iniciativas de autoempleo. De consideración aquí también, los modelos de emprendimiento que propone el sector de la economía social[13].

c) Subsidio por desempleo

A diferencia del seguro desempleo, que es una prestación contributiva, el subsidio por desempleo es una prestación asistencial para las personas desempleadas que hayan agotado el seguro de desempleo o no cumplan las condiciones para acceder al mismo. Asimismo, también se exigen una serie de requisitos para poder acceder al cobro de esta prestación asistencial como el no percibir rentas, tener cargas familiares o tener una determinada edad en la que resulta más difícil encontrar un trabajo.

d) Renta activa de inserción (RAI)

Se trata de una prestación asistencial para desempleados en situación de necesidad económica y con graves dificultades de acceder nuevamente al mercado de trabajo, y a pesar de estar en proceso de búsqueda activa de empleo. Si una persona sigue en situación de paro y no tiene derecho a la prestación contributiva ni al subsidio por desempleo, puede solicitar la RAI. No está vinculada a los períodos de cotización a la Seguridad Social, sino a la condición de desempleo de larga duración que provoca situaciones de desprotección frente a la falta de un mínimo de ingresos.

Al mismo tiempo que esta prestación pretende ofrecer protección económica, intenta mejorar a través de un itinerario personalizado de formación profesional, las expectativas profesionales de las personas beneficiarias (Selma, 2016). Esta prestación tiene su origen tras la crisis del 2008, cuando muchas familias quedaron en el paro y el Estado tuvo que crear nuevos programas de ayudas como la RAI para todas aquellas personas que por motivos justificados así lo necesitasen.

Los **requisitos generales** para ser beneficiario/a de la RAI son:

- Estar desempleado/a y estar inscrito/a como demandante de empleo, así como estarlo durante todo el período de percepción de esta prestación y suscribir el compromiso de actividad.
- Tener menos de 65 años de edad.
- No tener ingresos mensuales propios superiores al 75 % del salario mínimo interprofesional (SMI), se excluye la parte proporcional referida a dos pagas extraordinarias.
- Que la suma de los ingresos mensuales obtenidos por todos los miembros de la unidad familiar (la persona beneficiaria, su cónyuge y sus hijos menores de 26 años o mayores

---

[13] Consultar este modelo empresarial a partir de una entidad representativa y referente de la Economía social en España como es *La Confederación Empresarial Española de la Economía Social* (CEPES), entidad empresarial interlocutora para la construcción de políticas públicas y sociales para la promoción del modelo de empresa de Economía social -centrado en las personas-, y que fomenta este tipo de emprendimiento dando a conocer las posibles medidas de apoyo. Enlace https://www.cepes.es/ <consultado mazo de 2020>.

con diversidad funcional o menores en acogida), dividida por el número de miembros que la componen no supere el 75% del SMI, excluida la parte proporcional de dos pagas extraordinarias.

- No haber sido beneficiario/a de la RAI en los 365 días naturales anteriores a la fecha de solicitud de admisión al programa, con la salvedad de casos de víctimas de violencia de género o de violencia doméstica y personas con discapacidad.
- No haber sido beneficiario/a de tres programas de renta activa de inserción anteriormente, solamente se puede solicitar la RAI hasta tres veces.

A parte de los anteriores requisitos generales, hay otros específicos[14] para acceder a la RAI según Colectivos:

- Personas con discapacidad
- Personas desempleadas de larga duración
- Personas emigrantes retornadas
- Víctimas de violencia de género o de violencia doméstica

Entre los trabajadores que **no tienen derecho** a la RAI, se contemplan las siguientes situaciones:

- Las personas que estuvieran ingresadas en prisión (preventiva o penada), con la excepción de que su situación fuera compatible con la realización de trabajos fuera del centro penitenciario y cumpla los requisitos requeridos.
- Las personas que perciban pensiones o prestaciones económicas de la Seguridad Social y que cursaran incompatibilidad con el trabajo.
- Las personas beneficiarias de ayudas sociales que se pudieran reconocer a las víctimas de violencia de género que no puedan participar en programas de empleo, siempre que estas ayudas ya se estuvieran recibiendo en el momento de la solicitud de admisión al programa. No obstante, cuando termina el periodo de duración de la ayuda, se puede solicitar la admisión a la RAI.

e) Liberado o liberada de prisión

Los requisitos para acceder al subsidio en personas que se encuentran en esta situación son:

- Estar desempleado/a.
- Inscribirse como demandante de empleo en el plazo de un mes desde la excarcelación y mantener la inscripción durante todo el periodo de duración del subsidio.
- No haber rechazado una *oferta de colocación* adecuada ni haberse negado a participar (salvo causa justificada), en acciones de promoción, formación o reconversión desde la realización de la inscripción.
- Que la privación de libertad haya sido por un tiempo superior a seis meses.
- No tener derecho a la prestación contributiva por desempleo.
- Carecer de rentas de cualquier naturaleza, superiores al 75 % del salario mínimo interprofesional (SMI), excluida la parte proporcional de dos pagas extraordinarias.
- Pueden ser también beneficiarios/as de este subsidio:

---

[14] Requisitos que deberán ser consultados en el Servicio Público de Empleo Estatal debido a la singularidad de cada colectivo.

- Las personas menores privadas de libertad por más de seis meses en un centro de internamiento como consecuencia de un delito que en el momento de su liberación sean mayores de 16 años.
- Las personas que han finalizado su privación de libertad tras un tratamiento de deshabituación de su drogodependencia por un período superior a seis meses.

Este subsidio es compatible con el de desempleo para trabajadores mayores de 55 años.

- La duración del subsidio son seis meses prorrogables por otros dos períodos de igual duración, hasta un máximo de 18 meses. La cuantía mensual es igual al 80% del Indicador de Renta de Efectos Múltiples (y cuya cuantía siempre habrá que consultar).

f) *Subsidio para personas emigrantes retornadas*

Se trata de un subsidio al que tienen derecho las personas españolas emigrantes retornadas, siempre que cumplan los siguientes requisitos:

- Estar desempleado/a.
- Ser persona trabajadora española emigrante retornada de países no pertenecientes a la Unión Europea, Espacio Económico Europeo o Suiza.
- Permanecer inscrito o inscrita durante un mes como demandante de empleo. La inscripción deber mantenerse durante toda la duración del subsidio, así como suscribir el compromiso de actividad.
- Haber trabajado un mínimo 12 meses en los últimos seis años desde su última salida de España, en países no pertenecientes al Espacio Económico Europeo o Suiza.
- No tener derecho a la prestación contributiva por desempleo por cotizaciones que tuviera acumuladas en los seis años anteriores a su salida de España.
- Carecer de rentas, de cualquier naturaleza, superiores al 75 % del Salario Mínimo Interprofesional, excluida la parte proporcional de dos pagas extraordinarias.
- La duración de esta ayuda son seis meses prorrogables por otros dos períodos de igual duración, hasta un máximo de 18 meses. El importe que se percibe es el 80 % del Indicador Público de Renta de Efectos Múltiples (IPREM) mensual vigente en cada momento.

g) *Subsidio por desempleo para mayores de 52 años*

Si la persona tiene 52 años o más años y ha agotado la prestación o subsidio por desempleo, puede solicitar este subsidio, cuando cumpla los siguientes requisitos:

- Estar en situación de desempleo.
- No tener la condición de persona trabajadora fija discontinua.
- Tener 52 años o más años en la fecha en que se cumplan los requisitos para acceder a este subsidio.
- Estar inscrito o inscrita como demandante de empleo durante un mes y no haber rechazado oferta de empleo adecuada, ni haberse negado a participar, salvo causa justificada.
- Estar suscrito y cumplir con el compromiso de actividad.

- Carecer de rentas propias de cualquier naturaleza que en cómputo mensual sean superiores al 75 % del salario mínimo interprofesional, excluida la parte proporcional de dos pagas extraordinarias.
- Acreditar que en la fecha del hecho causante y en la de la solicitud del subsidio reúne todos los requisitos, salvo la edad, para acceder a cualquier tipo de pensión contributiva de jubilación en el sistema de la Seguridad Social español - haber cotizado por jubilación 15 años, dos de los cuales han de estar dentro de los últimos 15 - y que ha cotizado por desempleo un mínimo de 6 años a lo largo de su vida laboral.
- La duración del subsidio será hasta alcanzar la edad ordinaria que se le exija para tener derecho a la pensión contributiva de jubilación en el sistema de la Seguridad Social. La cuantía mensual del subsidio por desempleo es igual al 80 % del indicador público de renta de efectos múltiples (IPREM). (Cuantías para el año en curso).

7.6. Conclusiones

El trabajo es esencial para todas las personas en la organización de la sociedad actual. Así mismo, es un derecho reconocido a nivel internacional y en nuestra legislación. En el presente capítulo, se ha tratado de obtener una visión pormenorizada del sistema de trabajo, elemento crucial de la sociedad del bienestar y un derecho sobre el que se asienta jurídicamente el modelo laboral de nuestra Constitución Española. Se ha considerado el contexto normativo, las estructuras institucionales básicas que conforman el entramado de la Administración General del Estado, así como la organización y ordenación del sistema nacional de empleo. También se ha prestado atención, dentro del marco de la política de empleo, a aquellos instrumentos y medidas que tienen como propósito el logro de un funcionamiento eficiente del mercado de trabajo y la mejora de las condiciones laborales de los trabajadores y trabajadoras. Finalmente, se ha realizado un recorrido por las principales prestaciones y medidas de protección económicas frente al desempleo del Estado Español.

EJERCICIO. Entra en la pàgina web del Servicio Público de Empleo Estatal (SEPE) y dirígete a la red de cooperación laboral de ámbito europeo (EURES). Contesta las siguientes preguntas:
   a. ¿Podrías indicar el número total (solamente la cifra) de ofertas de empleo que hay actualmente en Bélgica, Francia, Polonia y Portugal?
   b. ¿Qué información de interés acompaña a cada una de las ofertas de empleo consultadas?

EJERCICIO. Consulta en la página web del Servicio Público de Empleo Estatal (SEPE), descárgate la Carta de Servicios del citado servicio y responde a las siguientes preguntas:

a. ¿Cuáles son los derechos de los ciudadanos en relación con el SEPE?

b. ¿Podrías indicar cuál es la dirección postal y teléfonos de la oficina de atención del SEPE de tu provincia?

EJERCICIO. Consulta la página web de la estructura institucional con competencia en materia de trabajo de tu Comunidad Autónoma y responde a las siguientes preguntas (consultando los datos más actuales) en cuanto a:

a. Número de parados registrados por sector de actividad

b. Número de demandantes parados registrados por edad y sexo

c. Número de demandantes parados registrados por nivel formativo

d. Las 3 ocupaciones registradas más contratadas

e. ¿Qué implicaciones consideras que tienen los anteriores datos para el Estado de bienestar?

EJERCICIO. Responde a las siguientes cuestiones: ¿Qué plazo tiene el Servicio Público de Empleo Estatal para contestar a una solicitud de paro?, y ¿qué situaciones son incompatibles con el paro y el subsidio por desempleo?

Capítulo 8. GARANTÍAS DEL SISTEMA DE JUSTICIA PARA EL DESARROLLO DEL BIENESTAR DE LA CIUDADANÍA

José-Javier Navarro-Pérez
Universitat de València

Enric Sigalat-Signes
Universitat de València

Angel Joel Mendez-Lopez
Universitat de València

8.1. Introducción

El Sistema de Justicia es uno de los cinco grandes pilares que colaboran en el desarrollo de la calidad de vida de las personas, conjuntamente con Educación, Servicios Sociales, Salud y Empleo, se les concede gran valor para la satisfacción de necesidades humanas. El sistema de justicia es un poder independiente en las democracias avanzadas, y su autonomía respecto el resto de poderes constituye uno de los indicadores de buena salud en las libertades públicas que afectan a la ciudadanía.

8.2. Desarrollo: normativa, organización y servicios "sociales" del sistema de justicia.

La ley de asistencia jurídica gratuita, ley 1/1996, de 10 de enero, constituye la norma de referencia de acceso al sistema de Justicia en España. El Ministerio de Justicia es el organismo institucional de referencia de la Administración General del Estado en materia de Justicia. La Consellería de Justicia, Administración Pública, Reformas Democráticas y Libertades Públicas es el organismo de referencia de la Administración autonómica de la Comunidad Valenciana es junto a otras siete comunidades de todo el Estado quien tiene transferidas del Gobierno central limitadas competencias relacionadas principalmente con la gestión de medios materiales, del personal y el servicio de justicia gratuita.

En este modelo, las autonomías no pueden actuar sobre dos de las variables que más influyen en el funcionamiento de la justicia: la creación de plazas y la organización judicial. Por ese motivo, la inversión autonómica en Justicia durante la última década ha sido estéril porque los gobiernos regionales carecen de los instrumentos legislativos necesarios para incidir en las variables que más condicionan la actividad judicial.

En la organización judicial española, la jurisdicción ordinaria se divide en cuatro órdenes jurisdiccionales:

- o Civil: examinar los líquidos cuyo conocimiento no venga expresamente atribuido a otro orden jurisdiccional. Por ello puede ser catalogado como ordinario o común.
- o Penal: corresponde al orden penal el conocimiento de las causas y juicios criminales. Es característica del derecho español que la acción civil derivada de ilícito penal pueda ser ejercitada conjuntamente con la penal. En tal caso, el Tribunal Penal decidirá la indemnización correspondiente para reparar los daños y perjuicios ocasionados por el delito.
- o Contenciosa-Administrativo: trata del control de la legalidad de la actuación de las administraciones públicas y las reclamaciones de responsabilidad patrimonial que se dirijan contra las mismas.
- o Social: es el que conoce de las prestaciones que se ejerciten en la rama social del derecho, tanto en conflictos individuales entre trabajador/a y empresario/a con ocasión del contrato de trabajo, como el material de negociación colectiva, así como las reclamaciones en materia de Seguridad Social o contra el estado cuando le atribuía responsabilidad la legislación laboral.

La Ley de Asistencia Jurídica Gratuita, Ley 1/1996, de 10 de enero, constituye la norma de referencia de acceso al sistema de Justicia en España. El Ministerio de Justicia es el organismo institucional de referencia de la Administración General del Estado en materia de justicia. La Conselleria de Justicia ha desarrollado servicios que podemos denominar de algún modo vinculados al sector social que tienen como finalidad ofrecer una mayor igualdad de oportunidades a aquellas personas que lo solicitan. Estos son:

a) Oficina de Ayuda a víctimas del Delito

La Conselleria de Justicia, Administración Pública, Reformas democráticas y Libertades Públicas para garantizar el reconocimiento y protección por los poderes públicos de los derechos que las víctimas tienen reconocidos, regula las Oficinas de Asistencia a las Víctimas del Delito (OAVD). Éstas se configuran como una unidad técnica y multidisciplinar, capaz de centralizar y hacer fácilmente accesible a las personas testigos, victimas y otras en situación de riesgo (consecuencia de su contacto circunstancial con el delito), no solo los recursos tendentes a garantizar su seguridad, sino también una asistencia integral y especializada a lo largo de todo el procedimiento e incluso con posterioridad a su terminación, dirigida a evitar la victimización secundaria. Está formado por una unidad jurídica y por otra unidad asistencial.

Creado en 1985 y dependiente del servicio de relaciones con la administración de justicia, de la dirección general de justicia. El objetivo es resolver aquellas cuestiones que están relacionadas con las víctimas de delito que demandan la ayuda. Es un servicio universal y está basado en la gratuidad y en la atención pública, en la responsabilidad pública que tiene ante la ciudadanía como canalizadora de los servicios de bienestar.

La Red de Oficinas de la Generalitat de Asistencia a las Víctimas del Delito se configura como un servicio de carácter público y gratuito que depende orgánica y funcionalmente de la Generalitat Valenciana y se coordina con los departamentos, órganos y servicios existentes con competencia en asistencia a las víctimas de delitos específicos, así como con los órganos judiciales, la Fiscalía, la Abogacía, el Instituto de Medicina Legal, las fuerzas y cuerpos de seguridad, la policía local, los servicios de salud, los servicios sociales y cualquier otra institución que pueda estar en contacto con la víctima del delito. También con juzgados de instrucción, con la Conselleria, servicios sociales municipales o comunitarios, con recursos de atención a infancia y familia, con juzgados de familia, es decir, con todos los recursos relacionados con el bienestar social etc.

Los sujetos que acuden a estas oficinas han sido víctimas de malos tratos, amenazas, coacciones, abandono de familia y menores, abusos sexuales, redes de trata y mafias de prostitución etc.

La Red de Oficinas de la Generalitat de Asistencia a las Víctimas del Delito está integrada por tres oficinas de ámbito provincial: Alicante, Castellón y Valencia. También se integran otras oficinas cuyo ámbito de actuación es sub provincial y que dependen funcionalmente de las oficinas provinciales. Las OAVD pueden prestar asistencia a las víctimas independientemente del lugar de la comisión del delito y del lugar de residencia de la víctima. Las funciones de los profesionales del servicio: empatizar con las víctimas, investigar la situación que ha provocado el delito, la relación de la víctima con el delincuente, por ejemplo en casos de abuso sexual si el agresor tiene una relación de consanguinidad con la víctima es un agravante, el hecho de tener esta relación es un agravante etc. La asistencia a la víctima tiene carácter individualizado, integral e interdisciplinar en las áreas jurídica, psicológica y social, respetando la privacidad e intimidad de la persona que solicita el servicio. La asistencia comprende las fases de acogida-orientación, información, intervención y seguimiento.

A efectos de valorar la demanda se tiene en cuenta que impacto emocional tiene en la víctima, que impacto tiene en la sociedad y en su caso hacer una derivación a un recurso especializado y un informe que acompañe esa derivación.

b)   Asistencia Jurídica Gratuita

La Ley de Asistencia Jurídica Gratuita tiene por objeto determinar el contenido y alcance del derecho a la asistencia jurídica gratuita al que se refiere el artículo 119 de la Constitución y regular el procedimiento para su reconocimiento y efectividad. Es la asistencia a aquellas personas que no se pueden permitir el pago de un letrado. Es un derecho reconocido a los ciudadanos españoles, residentes de la UE y residentes legales en acreditación de situación de insuficiencia y a personas que no superen el doble de ingresos del SMI; se tiene en cuenta el patrimonio y los signos externos de capacidad real de nivel económico, y también a ciudadanos extranjeros que acrediten insuficiencia de recursos para litigar tendrán derecho a la asistencia letrada y a la defensa y representación gratuita en los procedimientos que puedan llevar a la denegación de su entrada en España, a su devolución o expulsión del territorio español, y en todos los procedimientos en materia de asilo.

La asistencia jurídica gratuita tiene la competencia de apreciar solicitudes para asistencia jurídica gratuita y estar en coordinación con la comisión de asistencia jurídica gratuita.

c) Servicio de Mediación y Reparación Extrajudicial de Menores

Cuando las personas mayores de 14 años y menores de 18 cometen hechos tipificados como delitos o faltas en el Código Penal o las leyes penales especiales se les aplica la Ley Reguladora de la Responsabilidad Penal de los Menores, para exigir la responsabilidad penal. En el caso de que la persona autora de los hechos sea menor de 14 años, no se le exige responsabilidad con arreglo a la mencionada Ley, sino que se le aplica lo dispuesto en las normas sobre protección de menores, remitiéndose a la entidad pública de protección de menores.

Es un recurso que se creó y fue implantado por la Conselleria de Bienestar Social protocolizado en 1997 en calidad de programa y dirigido a adolescentes infractores y a las víctimas de sus acciones, actúa a instancia de la fiscalía de menores. Se llama servicio de mediación para tratar de evitar la justicia, siempre y cuando sean acciones que se puedan mediar. Siempre que no sea un delito público, los delitos públicos no se pueden mediar. Por ejemplo una agresión sexual es un delito público, o un robo con violencia o intimidación.

Este servicio se crea con el objetivo de ofrecer una oportunidad o alternativa inmediata al hecho sancionador para tratar de reducir o reparar el daño que ha producido el joven infractor, o el agresor en la víctima, que pueda haber un reconocimiento hacia la víctima y que pueda haber un perdón de la víctima al agresor, que de alguna manera el agresor pueda reorientar sus acciones y sus actitudes y la víctima pueda reconsiderar lo sucedido, es decir, que realice una reparación extrajudicial del daño causado. Para su desarrollo es fundamental la figura del mediador, encargado de que acercar posturas y que cada parte asuma su responsabilidad en el conflicto (sobre todo la parte infractora).

d) Institutos de Medicina Legal

Son órganos técnicos que centralizan las funciones realizadas en los Institutos Anatómicos Forenses y Clínicas Médico Forenses. Los institutos de medicina legal se dividen en institutos anatómicos forenses y en clínicas médico forenses.

Los Institutos de Medicina Legal y Ciencias Forenses (IMLCF) son órganos técnicos adscritos al Ministerio de Justicia, o en su caso a aquellas Comunidades Autónomas con competencia en la materia, cuya misión principal es auxiliar a la Administración de Justicia en el ámbito de su disciplina científica y técnica.

Mediante real decreto, a propuesta del Ministro de Justicia y previo informe del Consejo General del Poder Judicial y de las Comunidades Autónomas que han recibido los traspasos de medios para el funcionamiento de la Administración de Justicia, se determinarán las normas generales de organización y funcionamiento de los IMLCF y de actuación de los médicos forenses y del resto del personal funcionario o laboral adscrito a los mismos, pudiendo el Ministerio de Justicia o el órgano competente de la Comunidad Autónoma dictar, en el ámbito de sus respectivas competencias, las disposiciones pertinentes para su desarrollo y aplicación.

Los IMLCF son órganos técnicos, cuya misión es auxiliar a los Juzgados, Tribunales, Fiscalías y Oficinas del Registro Civil mediante la práctica de pruebas periciales médicas, tanto tanatológicas como clínicas y de laboratorio, así como realizar actividades de docencia e investigación relacionadas con la medicina forense. En la sede de los IMLCF no pueden practicarse actividades tanatológicas ni periciales privadas, si bien podrán emitirse informes y dictámenes, a solicitud de particulares, en las condiciones que se determinen reglamentariamente.

En todo caso los IMLCF cuentan con unidades de valoración forense integral (UVFI), de las que pueden formar parte los psicólogos y trabajadores sociales que se determinen para garantizar, entre otras funciones, la asistencia especializada a las víctimas de violencia de género y el diseño de protocolos de actuación global e integral en casos de violencia de género.

*Organización:

- *Servicio clínica médico forense.*

- Se encargarán de los peritajes médico-legales y, en particular, del control periódico de los lesionados y de la valoración de los daños corporales que sean objeto de actuaciones procesales, así como de la asistencia o vigilancia facultativa a los detenidos en los términos establecidos en el artículo 3.c) del Reglamento orgánico del Cuerpo de Médicos Forenses.

- Atiende solicitudes periciales, atiende estudios de casos, informes.

- Los casos que atiende son hacer valoraciones de daños corporales, por ejemplo un maltrato físico.

- Asistencia a detenidos y a aquellas personas con patología dual, con situaciones de inestabilidad emocional o psiquiatría forense.

- *Servicio patología forense*

- Realizan la investigación médico-legal en todos los casos de muerte violenta o sospechosa de criminalidad que hayan ocurrido en la demarcación del Instituto y sea ordenada por la autoridad judicial, así como la identificación de cadáveres y restos humanos.

- Investigación de muertes violentas.

- Criminalidad colectiva por ejemplo bandas del Este que tienen secuestradas a mujeres en viviendas, trata de blancas, investiga cadáveres, autopsias.

- ***Servicios de Laboratorio Forense***

-        Realizarán análisis biológicos, clínicos y de toxicología, sin perjuicio de las competencias del Instituto de Toxicología que en este sentido actuará como centro de referencia en materias de su especialidad. En estos Servicios podrán ser destinados facultativos del INTCF, en los términos que se establezcan en la relación de puestos de trabajo de cada IMLCF.

e)   El Tribunal Jurado

La Constitución española, art. 125 dice: "Los ciudadanos podrán ejercer la acción popular y participar en la Administración de Justicia mediante la institución del Jurado, en la forma y con respecto a aquellos procesos penales que la ley determine, así como en los Tribunales consuetudinarios y tradicionales.". En este sentido, cualquier ciudadano que no tenga vinculación con el derecho, puede participar como miembro.

El Tribunal del Jurado es una forma de participación popular en la Administración de la Justicia.

Para ser jurado es necesario tener nacionalidad española y ser mayor de edad, encontrarse en el pleno ejercicio de los derechos políticos, y saber leer, escribir y no estar afectado por ninguna incapacidad física o psíquica que impida el desarrollo de su función como jurado.

El Tribunal del Jurado no es un órgano permanente, sino que se constituye para cada proceso judicial, con nueve jurados y un magistrado o magistrada perteneciente a la carrera judicial que lo preside.

El Tribunal de jurado tiene competencias en materia de:

Delitos contra las personas.

Delitos cometidos por los funcionarios públicos en ejercicio de sus cargos.

Delitos contra el honor.

Delitos de omisión del deber de socorro.

Delitos contra la inviolabilidad del domicilio, por robo de domicilio.

Delitos contra la libertad y contra la seguridad.

f)   Oficina de Registro Informáticos (REGIN)

Los objetivos del Regin son agilizar las comunicaciones entre juzgados con determinados organismos e instituciones. Tiene por objeto la obtención de los antecedentes penales, controlar la presencia de los presos en los establecimientos penitenciarios y conocer la existencia de otras causas requisitorias (causas pendientes)

El REGIN es uno de los recursos sociales vinculados a la justicia más importante porque vigila el cumplimiento de las penas de los presos.

g)   Servicio de Violencia Doméstica (VIDA)

El objetivo es registrar los delitos de violencia domestica cometidos en el medio familiar y tipificados como violencia doméstica. Existe este tipo de violencia cuando se producen agresiones físicas, psíquicas y psicológicas dentro del ámbito familiar; estas agresiones pueden basarse en golpes, contusiones, empujones, bofetadas, arañazos y parecidos, ejercidos en el cuerpo de la víctima al igual que de insultos, amenazas, humillaciones, vejaciones y otras agresiones semejantes de naturaleza psíquica y/o psicológica y emocional. Dichos ataques tienen lugar en el entorno familiar, lo que implica un lazo familiar entre el agresor y la víctima.

La Ley 27/2003, de 31 de julio, reguladora de la Orden de Protección de las víctimas de la violencia doméstica, regulariza el derecho de las víctimas de violencia doméstica a solicitar una Orden de Protección. Esta ley procura que, mediante un procedimiento judicial, la víctima pueda obtener un estatuto integral de protección.

h) Observatorio contra la violencia doméstica y de género

Como instrumento para mejorar la coordinación de las instituciones y abordar las diferentes iniciativas que se propongan para erradicar, desde la Administración de Justicia, la violencia doméstica y de género, en el año 2002 se creó el Observatorio contra la Violencia Doméstica y de Género.

Sus objetivos son:

- Aumentar la eficacia de las actuaciones en el ámbito de la Administración de Justicia, para la erradicación de estas violencias.
- Mejorar la coordinación entre las instituciones, participando en la elaboración de protocolos de actuación.
- Realizar estudios y análisis de las resoluciones judiciales así como propuestas de mejoras y reformas legislativas.
- Seguimiento estadístico del fenómeno en el ámbito judicial.
- Diseñar e impulsar un plan de formación especializada de los miembros de la carrera judicial y fiscal y demás personal al servicio de la Administración de Justicia.

En la actualidad está integrado por las siguientes instituciones: el Consejo General del Poder Judicial (CGPJ), que ostenta la presidencia, el Ministerio de Justicia, el Ministerio de Sanidad, Servicios Sociales e Igualdad, la Fiscalía General del Estado, las Comunidades Autónomas con competencias en materia de justicia, a través de turnos rotatorios anuales, y el Consejo General de la Abogacía Española.

Derivado del primer objetivo se presenta **"Orden de Protección"** que es una resolución judicial que, en los casos en que existan indicios fundados de la comisión de delitos o faltas de violencia doméstica y exista una situación objetiva de riesgo para la víctima, ordena su protección mediante la adopción de medidas cautelares civiles y/o penales, además de activar las medidas de asistencia y protección social necesarias cuya regulación se encuentra en la Ley 27/2003 de 31 de Julio que regula la Orden de protección de víctima de la violencia doméstica..

¿Quién puede solicitarla?

- Cualquier persona que tenga con la víctima alguna de las relaciones del artículo 173 del C.P.
- El Ministerio Fiscal
- El juez de oficio puede acordarla

- Las entidades u organismos asistenciales, públicos o privados que tuviesen conocimiento de la existencia de alguno de los delitos o falta de violencia doméstica, deberán ponerlos inmediatamente en conocimiento del Juez de Guardia o Fiscal con el fin de que pueda incoar el Juez o instar el Fiscal el procedimiento para la adopción de la orden de protección. En el supuesto de indicio de infracción penal por violencia contra las mujeres, en el ámbito referido en la Ley Integral, se deberá comunicar al Juez/a de Violencia sobre la Mujer (el Juez/a de Instrucción en funciones de guardia actúa en estos casos sólo fuera de las horas de audiencia de aquél/la).

¿Dónde puede solicitarse?

- Ante el juez
- Ante el fiscal
- Ante las Fuerzas y Cuerpos de Seguridad - la policía, guardia civil, policías autonómicas o Locales. Estas realiza el correspondiente atestado para la acreditación de los hechos
- En las Oficinas de Atención a las victimas
- En los servicios sociales o instituciones asistenciales dependientes de las Administraciones Publicas
- En los Servicios de orientación Jurídica de los Colegios de Abogados

8.3. El Reglamento Penitenciario.

Con el Real decreto 190/96, de 9 febrero, se aprueba el reglamento de desarrollo y ejecución de la Ley Orgánica General Penitenciaria (LOGP), de cuyo reglamento emanan una serie de funciones cuya responsabilidad se encuentra en diferentes estamentos, todos ellos, previstos en la Constitución:

- Función jurisdiccional, qué supone juzgar y hacer ejecutar lo juzgado.
- Promover la acción de la justicia en defensa de la legalidad, de los derechos de los ciudadanos y del interés público tutelado por la ley, así como procurar ante los tribunales la satisfacción del interés social. todo ello corresponde al Ministerio Fiscal.
- Administrar una justicia social conforme a los principios rectores de la política social y económica que figuran en el capítulo III de la Constitución.
- Defensa de los derechos sociales y libertades de los ciudadanos, con potestad para supervisar la actividad de la Administración. Corresponde al Defensor del Pueblo.

Respecto a los modelos de intervención y programas de tratamiento, será el trabajador social y el educador, los encargados de entrevistar al interno, con el objetivo de detectar aquellas carencias y necesidades que pueda presentar.

Será la Junta de Tratamiento, de acuerdo con dicho informe, quién valore los aspectos relacionados con la ocupación laboral, formación cultural y profesional y medidas de ayuda, con el fin de elaborar el modelo individualizado de intervención.

La intervención social penitenciaria tendrá como objetivo la solución de los problemas surgidos a los internos y sus familias como consecuencia del ingreso en prisión, contribuyendo al desarrollo integral de los mismos. La administración penitenciaria será la encargada de promover la coordinación de los servicios sociales penitenciarios con las redes públicas.

En relación con la situación de aquellos menores que ingresan en prisión con sus madres, la dirección del establecimiento admitirá sólo a los hijos menores de 3 años qué acompañen a sus madres en el momento del ingreso, y en caso de que éstas soliciten mantenerlos en su compañía deberán acreditar la afiliación y que ello no entrañe riesgo para los menores.

8.3.1. Las instituciones penitenciarias.

Los centros penitenciarios españoles se clasifican en 3 grandes grupos:

- **Establecimientos penitenciarios:** Son centros de ámbito provincial destinados a la retención y custodia de detenidos y presos, de manera excepcional, podrán cumplirse en ellos penas y medidas de seguridad privativas de libertad, cuando el internamiento efectivo pendiente no exceda de 6 meses.
- **Establecimiento de cumplimiento:** son aquellos centros que se destinan a la ejecución de penas privativas de libertad clasificándose en 3 tipos: ordinarios, abiertos y cerrados.
- **Establecimientos especiales:** En los que prevalecen el carácter asistencial y entre los que se incluyen los centros hospitalarios, los centros siquiátricos y los centros de rehabilitación social.

8.3.2. El Trabajo social penitenciario

Es el conjunto de técnicas de naturaleza social y científica que al aplicarlas permitan que el usuario corrija su situación de desigualdad, y acceda a los recursos normalizados que le posibiliten su integración y la de su familia en la sociedad, con la dignidad inherente a su condición de ciudadano.

La Orden de servicios de 6/1995 regula los servicios sociales penitenciarios. En esta circular es clave la propuesta que se realiza para que los internos y sus familias no sean considerados como un colectivo diferenciado ni objeto de discriminación por la condición de recluso. Así pues, esta Orden incide en que los servicios sociales penitenciarios serán responsables de la asistencia social de los internos, liberados condicionales y de las familias de unos y otros, así como del seguimiento de los liberados condicionales. Las funciones aquí reguladas son:

- La de prestar asistencia social y atender las demandas y carencias de los internos y liberados condicionales.
- Facilitar la documentación pública a quienes carezcan de ella.
- la coordinación con los servicios sociales de otras administraciones públicas.
- Obtener los recursos necesarios para que los internos que lo necesiten puedan seguir tratamientos específicos en el interior, o cumplir su libertad condicional en centros de acogida cuando lo requieran.
- Elaborar los planes de intervención y realizar el seguimiento de los liberados condicionales.
- Mantener informados de la situación social de los internos y liberados condicionales a las autoridades penitenciarias y a las autoridades judiciales si lo demandan.
- Realizar el control de la ejecución de penas o medidas de la seguridad que no sean privativas de libertad.

Por su parte, el documento de la comisión de planificación y seguimiento penitenciario incide en que el Trabajo Social penitenciario tiene por objetivos:

- Atender a los internos en el ámbito penitenciario donde los servicios sociales tendrán como finalidad, la incorporación social de las personas privadas de libertad. La organización de este modelo de intervención requerirá una estrecha coordinación con los servicios sociales generales de la zona de procedencia, de forma que puedan derivarse hacia las redes sociales públicas a los reclusos y a sus familias cuando las demandas formuladas así lo determinen.
- Externalizar el Trabajo Social más allá de los muros de las prisiones; dirigiendo sus acciones a la atención social de las familias de los presos y al seguimiento de los internos en semi libertad, de los liberados condicionales, de penados sometidos a suspensión de condena, medidas sustitutivas y a medidas de seguridad, en caso de que tengan incidencia en los servicios sociales penitenciarios.

8.3.3. Política de la Unión Europea dirigida a la población reclusa y ex-reclusa

Tiene como principal objetivo la formación y superación de dificultades personales, facilitando el acceso al mercado laboral. Ellos se canalizarán a través de la colaboración directa de los Servicios Sociales Penitenciarios. La Iniciativa Comunitaria de Empleo y Desarrollo de los Recursos Humanos tiene como principal objetivo, el Fomento del crecimiento de empleo de forma principal. Para ello el programa INTEGRA incluye a los presos y ex-reclusos como población diana. Las medidas a desarrollar son:

- La mejora en la accesibilidad a los servicios públicos de formación, asesoramiento, orientación y empleo.
- Ofertas de planes de formación.
- Creación de puestos de trabajo y apoyo a la creación de empresas, cooperativas y asociaciones entre organismos públicos y privados.
- La divulgación de la información y acciones de sensibilización.

A través de este programa se plantean unos objetivos clave que se desarrollan a continuación:

- Respecto a las acciones que faciliten la accesibilidad a los servicios públicos se plantean tres acciones básicas:
  - Apoyar las acciones centradas en el mercado de trabajo.
  - A través de los servicios locales, favoreciendo la inserción profesional por medio de la organización de oficinas de información y asesoramiento.
  - Creación de centros de acogida, orientación y empleo.
- En cuanto a las competencias derivadas de oferta de planes de formación, se materializarán mediante:
  - La formación previa de las personas desfavorecidas.
  - La formación profesional.
  - La formación de formadores y otros agentes de desarrollo local.
- En tercer lugar, se contempla la medida encaminada a la creación de puestos de trabajo y apoyo a la creación de empresas, cooperativas y asociaciones entre organismos públicos y privados mediante:
  - La creación de puestos de trabajo
  - La innovación con el objetivo de reducir para el empresario los costes laborales.
  - Integración en el mercado laboral.
  - Apoyo a iniciativas locales de empleo.

- Acerca de la divulgación de la información y las acciones de sensibilización nos encontramos con:
    - El apoyo a la difusión de información relacionada con las oportunidades de empleo y formación.
    - El respaldo a las acciones centradas en el mercado laboral.
    - La creación y Fomento de las redes de apoyo mutuo y autoayuda.

8.4. Equipos Psicosociales

Los equipos técnicos de familia dependen de los Institutos de Medicina Legal. Estos equipos interdisciplinares abordan asuntos relacionados con el derecho de familia. En las intervenciones será primordial una coordinación estrecha con los servicios sociales de base, ya que estos son los que tienen un mayor conocimiento sobre la realidad social y familiar.

Las principales funciones de estos recursos son:

1. Asesorar técnicamente a tribunales, juzgados, fiscalías y órganos técnicos en materia de su disciplina profesional.

2. Explorar, evaluar y diagnosticar los aspectos técnicos que profesionalmente se consideren adecuados, de las personas implicadas en procesos judiciales de quienes se solicite informe por los responsables de tribunales, juzgados, fiscalías y órganos técnicos.

3. Elaborar los correspondientes informes en los que se recojan los resultados de la evaluación practicada con determinación concreta y específica del objeto de la prueba solicitada.

Los profesionales que intervendrán en los equipos psicosociales están integrados, al igual que en los juzgados de menores, en un equipo técnico. Los profesionales intervendrán en aquellas situaciones en las que se vea implicado un menor, respondiendo a peticiones como: la convivencia o no de seguir un régimen de visitas establecido, la idoneidad de una adopción, tutela o acogimiento familiar, el cambio o anulación de la patria potestad… Las peticiones de intervención sean solicitadas por el juez en aquellos procedimientos que considere pertinentes, con la finalidad de que el informe pericial que elaboren el psicólogo, trabajador social y/o educador pueda asesorarle para tomar la decisión más adecuada en cada uno de los casos en los que intervenga.

8.5. La Ley 5/2000 de 12 de Enero, de Responsabilidad Penal de los Menores.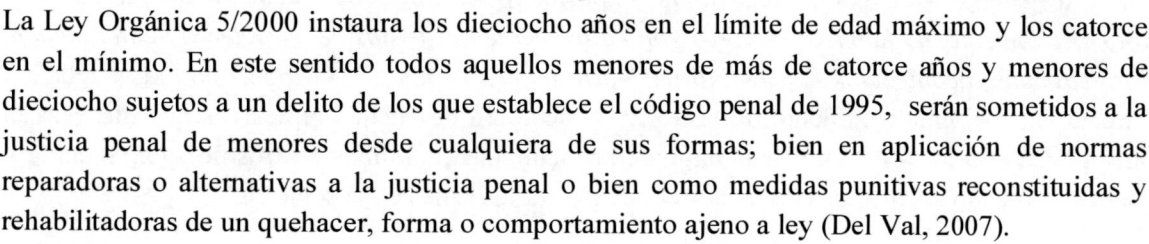

La Ley Orgánica 5/2000 instaura los dieciocho años en el límite de edad máximo y los catorce en el mínimo. En este sentido todos aquellos menores de más de catorce años y menores de dieciocho sujetos a un delito de los que establece el código penal de 1995, serán sometidos a la justicia penal de menores desde cualquiera de sus formas; bien en aplicación de normas reparadoras o alternativas a la justicia penal o bien como medidas punitivas reconstituidas y rehabilitadoras de un quehacer, forma o comportamiento ajeno a ley (Del Val, 2007).

Por debajo de los catorce años, las situaciones de desamparo o de riesgo serán abordadas desde las instituciones de protección de menores (Ley 26/2015, de 28 de julio, de modificación del sistema de protección a la infancia y a la adolescencia). Con aquellos menores de 14 años que cometen se vincula un reproche penal asociado a un reproche económico, en la forma de compensación a la víctima. Si bien es cierto, que la nueva corriente doctrinal del derecho en las últimas décadas ha reordenado el concepto de protección al menor, pasando este de ser objeto de protección a convertirse en sujeto de derechos, obligaciones y garantías. No obstante nos recuerda el fiscal del Tribunal Supremo, Manuel Dolz (2019: 11) que *"todavía perviven inercias que sitúan al menor al margen de esta consideración de titular de derechos fundamentales, lo que provoca un excesivo ámbito competencial sobre el mismo de sus representantes legales y una limitación de sus derechos en la práctica, desde una sesgada visión tuitiva del menor, que so pretexto de su protección le niega el ejercicio de esos derechos con autonomía".*

Tres ideas principales guían la elaboración y puesta en marcha de la LO 5/2000: la responsabilidad penal, el superior interés del menor, y la naturaleza sancionadora-educativa. En este sentido, la Ley Orgánica 5/2000 *"establece un marco flexible para que los Juzgados de Menores puedan determinar las medidas aplicables a éstos en cuanto a infractores penales, sobre la base de valorar el especial interés del menor".* Y *"configura al equipo técnico como instrumento imprescindible para alcanzar el objetivo que persiguen las medidas y termina estableciendo un procedimiento de naturaleza sancionadora-educativa, al que otorga todas las garantías derivadas de nuestro ordenamiento constitucional".*

Los Equipos Técnicos, dependen de la Fiscalía y están adscritos al Juzgado. Serán encargados de valorar qué tipo de medida es la más adecuada para el menor, atendiendo a la naturaleza del hecho y sus circunstancias familiares y personales. Además de ello, cada centro de internamiento dispone de un Equipo Técnico, particular e independiente, con las funciones asimiladas a las que se desempeñan en los Juzgados de Menores y otras adicionales referidas al estudio y observación inicial, diagnóstico, valoración, acompañamiento, planificación, intervención y evaluación de menores que son objeto de internamiento judicial, derivado de la aplicación de la LORPM 5/2000.

El 30 de julio de 2004, se aprueba a través de RD el Reglamento de la LO 5/2000, en el que vienen articulados los principios de la aplicación de las medidas que se contemplan y que son de aplicación en esta Ley. A la ley del menor original del año 2000, le sucedieron algunas modificaciones, entre ellas la más concluyente la de 2006, en la que se tendió endurecer más si cabe las circunstancias de la justicia juvenil.

Así pues, esta reforma atendió a criterios de miedo social tal como figura en el encabezamiento; en este sentido tal como recoge la exposición de motivos *"debe reconocerse que, afortunadamente, no han aumentado significativamente los delitos de carácter violento, aunque los realmente acontecidos han tenido un fuerte impacto social."* Así pues, no existe relación directa entre el endurecimiento de la ley y la sucesión de hechos represivos que dispensa la misma. En esta línea de ampliar la punición, se han construido más centros de internamiento y se han reforzado las medidas no inclusivas de los adolescentes en la sociedad.

a) Medidas Judiciales

Como hemos señalado, la legislación judicial para menores se basa en la Ley Orgánica 5/2000, de 12 de enero. Concretamente, en el artículo 7.1 describe las medidas que pueden ser impuestas a los menores que han cometido una infracción penal. Estas medidas, ordenadas según la gravedad en la comisión de conductas desviadas o en la reiteración de las mismas, suponen una escalada represiva en cuanto a la restricción de derechos civiles. Así pues, estas son las que a continuación pasamos a definir:

Internamiento en régimen cerrado. Las personas sometidas a esta medida residirán en el centro y desarrollarán en el mismo las actividades formativas, educativas, laborales y de ocio.

Internamiento en régimen semiabierto. Las personas sometidas a esta medida residirán en el centro, pero podrán realizar fuera del mismo alguna o algunas de las actividades formativas, educativas, laborales y de ocio establecidas en el programa individualizado de ejecución de la medida. La realización de actividades fuera del centro quedará condicionada a la evolución de la persona y al cumplimiento de los objetivos previstos en las mismas, pudiendo el Juez de Menores suspenderlas por tiempo determinado, acordando que todas las actividades se lleven a cabo dentro del centro.

Internamiento en régimen abierto. Las personas sometidas a esta medida llevarán a cabo todas las actividades del proyecto educativo en los servicios normalizados del entorno, residiendo en el centro como domicilio habitual, con sujeción al programa y régimen interno del mismo.

Internamiento terapéutico en régimen cerrado, semiabierto o abierto. En los centros de esta naturaleza se realizará una atención educativa especializada o tratamiento específico dirigido a personas que padezcan anomalías o alteraciones psíquicas, un estado de dependencia de bebidas alcohólicas, drogas tóxicas o sustancias psicotrópicas, o alteraciones en la percepción que determinen una alteración grave de la conciencia de la realidad. Esta medida podrá aplicarse sola o como complemento de otra medida prevista en este artículo. Cuando el interesado rechace un tratamiento de deshabituación, el Juez habrá de aplicarle otra medida adecuada a sus circunstancias.

Tratamiento ambulatorio. Las personas sometidas a esta medida habrán de asistir al centro designado con la periodicidad requerida por los facultativos que las atiendan y seguir las pautas fijadas para el adecuado tratamiento de la anomalía o alteración psíquica, adicción al consumo de bebidas alcohólicas, drogas tóxicas o sustancias psicotrópicas, o alteraciones en la percepción que padezcan. Esta medida podrá aplicarse sola o como complemento de otra medida prevista en este artículo. Cuando el interesado rechace un tratamiento de deshabituación, el Juez habrá de aplicarle otra medida adecuada a sus circunstancias.

Asistencia a un centro de día. Las personas sometidas a esta medida residirán en su domicilio habitual y acudirán a un centro, plenamente integrado en la comunidad, a realizar actividades de apoyo, educativas, formativas, de recuperación, socialización, laborales o de ocio.

Permanencia de fin de semana. Las personas sometidas a esta medida permanecerán en su domicilio o en un centro hasta un máximo de treinta y seis horas entre la tarde o noche del viernes y la noche del domingo, a excepción, en su caso, del tiempo que deban dedicar a las tareas socio-educativas asignadas por el Juez que deban llevarse a cabo fuera del lugar de permanencia.

Libertad vigilada. En esta medida se ha de hacer un seguimiento de la actividad de la persona sometida a la misma y de su asistencia a la escuela, al centro de formación profesional o al lugar de trabajo, según los casos, procurando ayudar a aquélla a superar los factores que determinaron la infracción cometida. Asimismo, esta medida obliga, en su caso, a seguir las pautas socio-educativas que señale la entidad pública o el profesional encargado de su seguimiento, de acuerdo con el programa de intervención elaborado al efecto y aprobado por el Juez de Menores. La persona sometida a la medida también queda obligada a mantener con dicho profesional las entrevistas establecidas en el programa y a cumplir, en su caso, las reglas de conducta impuestas por el Juez, que podrán ser alguna o algunas de las siguientes:

1. Obligación de asistir con regularidad al centro docente correspondiente, si el menor está en edad de escolarización obligatoria, y acreditar ante el Juez dicha asistencia regular o justificar en su caso las ausencias, cuantas veces fuere requerido para ello.

2. Obligación de someterse a programas de tipo formativo, cultural, educativo, profesional, laboral, de educación sexual, de educación vial u otros similares.

3. Prohibición de acudir a determinados lugares, establecimientos o espectáculos.

4. Prohibición de ausentarse del lugar de residencia sin autorización judicial previa.

5. Obligación de residir en un lugar determinado.

6. Obligación de comparecer personalmente ante el Juzgado de Menores o profesional que se designe, para informar de las actividades realizadas y justificarlas.

7. Cualesquiera otras obligaciones que el Juez, de oficio o a instancia del Ministerio Fiscal, estime convenientes para la reinserción social del sentenciado, siempre que no atenten contra su dignidad como persona. Si alguna de estas obligaciones implicase la imposibilidad del menor de continuar conviviendo con sus padres, tutores o guardadores, el Ministerio Fiscal deberá remitir testimonio de los particulares a la entidad pública de protección del menor, y dicha entidad deberá promover las medidas de protección adecuadas a las circunstancias de aquél, conforme a lo dispuesto en la Ley Orgánica 1/1996.

La prohibición de aproximarse o comunicarse con la víctima o con aquellos de sus familiares u otras personas que determine el Juez. Esta medida emana de la justicia penal de los adultos, adaptándola a la de los menores e impedirá a estos acercarse a sus víctimas, en cualquier lugar donde se encuentren, así como a su domicilio, a su centro docente, a sus lugares de trabajo y a cualquier otro que sea frecuentado por ellos. La prohibición de comunicarse con la víctima, o con aquellos de sus familiares u otras personas que determine el Juez o Tribunal, impedirá al menor establecer con ellas, por cualquier medio de comunicación o medio informático o telemático, contacto escrito, verbal o visual. Si esta medida implicase la imposibilidad del menor de continuar viviendo con sus padres, tutores o guardadores, el Ministerio Fiscal deberá remitir testimonio de los particulares a la entidad pública de protección del menor, y dicha entidad deberá promover las medidas de protección adecuadas a las circunstancias de aquél, conforme a lo dispuesto en la Ley Orgánica 1/1996, por lo que el menor podría pasar a residir en una institución dependiente de los Servicios de Protección de Menores.

Convivencia con otra persona, familia o grupo educativo. La persona sometida a esta medida debe convivir, durante el período de tiempo establecido por el Juez, con otra persona, con una familia distinta a la suya o con un grupo educativo, adecuadamente seleccionados para orientar a aquélla en su proceso de socialización.

Prestaciones en beneficio de la comunidad. La persona sometida a esta medida, que no podrá imponerse sin su consentimiento, ha de realizar las actividades no retribuidas que se le indiquen, de interés social o en beneficio de personas en situación de precariedad.

Realización de tareas socio-educativas. La persona sometida a esta medida ha de realizar, sin internamiento ni libertad vigilada, actividades específicas de contenido educativo encaminadas a facilitarle el desarrollo de su competencia social.

Amonestación. Esta medida consiste en la represión de la persona llevada a cabo por el Juez de Menores y dirigida a hacerle comprender la gravedad de los hechos cometidos y las consecuencias que los mismos han tenido o podrían haber tenido, instándole a no volver a cometer tales hechos en el futuro.

Privación del permiso de conducir ciclomotores y vehículos a motor, o del derecho a obtenerlo, o de las licencias administrativas para caza o para uso de cualquier tipo de armas. Esta medida podrá imponerse como accesoria cuando el delito o falta se hubiere cometido utilizando un ciclomotor o un vehículo a motor, o un arma, respectivamente.

Inhabilitación absoluta. La medida de inhabilitación absoluta produce la privación definitiva de todos los honores, empleos y cargos públicos sobre el que recayere, aunque sean electivos; así como la incapacidad para obtener los mismos o cualesquiera otros honores, cargos o empleos públicos, y la de ser elegido para cargo público, durante el tiempo de la medida.

La siguiente tabla muestra las medidas atendiendo al medio en el que se cumplen:

Tabla 5.- Catálogo de medidas que contempla la ley atendiendo la restricción de la libertad

MEDIO	MEDIDA
RESIDENCIAL // CERRADO	Internamiento Cerrado
	Internamiento Semiabierto
	Internamiento Abierto
	Internamiento Terapéutico: semiabierto y cerrado
	Permanencia de Fin de Semana
ABIERTO	Tratamiento Ambulatorio
	Libertad Vigilada
	Asistencia a Centro de Día
	Prohibición de comunicarse con la víctima o persona determinada por el Juez
	Convivencia con familia o grupo educativo*
	Prestaciones en Beneficio de la Comunidad
	Tareas Socio-educativas
	Privación del permiso de conducir ciclomotores, licencias de armas
	Amonestación
	Inhabilitación Absoluta

Fuente: Elaboración propia a partir de la LORPM 5.2000

La medida de Convivencia con familia o grupo educativo aparece en la tabla con un asterisco (*), ya que es en realidad una medida en régimen abierto, pero es cierto que la escasa implicación del Estado en el desarrollo de recursos humanos y estructurales-institucionales que colaboren con su correcto cumplimiento ha provocado en algunas comunidades autónomas que esta medida se cumpla en centros residenciales - cerrados con plazas "habilitadas" de Convivencia en Grupo Educativo.

Por ley se establece que las medidas de internamiento en centro, en cualquiera de sus regímenes, deberán ir seguidas de la medida de libertad vigilada con la intención de que la vuelta al entorno natural del adolescente pueda producirse con las mayores garantías, que no siempre implican un resultado óptimo o son sinónimo de éxito. Respecto la imposición de medidas de internamiento en centro, suelen imponerse medidas de internamiento semiabierto ante delitos tradicionales o derivados de la delincuencia común (robos, delito contra la salud pública, delito de lesiones…etc.) e internamientos cerrados cuando son delitos contra las personas, cuya autoría es reincidente o para endurecer medidas en régimen menos gravoso con una evolución marcadamente negativa del menor.

8.6. Conclusiones

El presente capítulo hemos abordado los principales vínculos entre la justicia y las líneas de bienestar que comprometen al trabajo social. Se ha realizado un recorrido por los servicios de la administración de justicia vinculados al sector social, el régimen penitenciario, los equipos psicosociales y por último la ley de responsabilidad penal de los menores. Hemos abordado los principales vínculos entre el sistema de justicia y su autonomía respecto el resto de poderes. En el presente capítulo quedan reflejados también los que la justicia presenta para garantizar el Estado del Bienestar, fortaleciendo los derechos sociales.

EJERCICIO 1 Identifica con un ejemplo o un enlace a una noticia de prensa, cada uno de los ordenes jurisdiccionales en que se configura administración de justícia en España

EJERCICIO 2 Lee el siguiente artículo:

Navarro-Pérez, J.J., Botija, M. y Uceda, F.X. (2016). La justicia juvenil en España: una responsabilidad colectiva. Propuestas desde el Trabajo Social. Interacción y perspectiva: Revista de Trabajo Social, 6, 2, 156-173

http://produccioncientificaluz.org/index.php/interaccion/article/view/21441

1.- Señala semejanzas y diferencias entre los tres perfiles o etiquetas delictivas que señalan los autores.

2. Tomando este capítulo y el texto de Navarro, Botija y Uceda (2016), explica con tus propias palabras el tránsito en los sistemas penales de justicia juvenil, donde el menor ha evolucionado desde una posición como objeto de protección a una posición como sujeto de responsabilidades. Adicionalmente relaciónalo con el paradigma protagónico o pedagogía de la ternura de Cussianovich (2017) –conferencia- y extrae las principales características de este modelo.

https://www.youtube.com/watch?v=ftzmp-vpVag (acceso a la Conferencia de Alejandro Cussianovich, Lima, 2017)

Capítulo 9. LA VIVIENDA: TERRITORIO DE ACCIÓN PREFERENTE

Angel Joel Méndez-Lopez
Universitat de València

José Javier Navarro-Pérez
Universitat de València

Enric Sigalat-Signes
Universitat de València

9.1. Introducción: Movimientos sociales, políticas de vivienda y políticas sociales.

El fuerte crecimiento de los movimientos migratorios hacia las zonas urbanas y particularmente hacia las grandes ciudades, acaecidos en España de finales de los 50 y hasta mediados de los 70, contribuye a la creación de ciudades dormitorio y de barrios de escasos equipamientos y servicios.

La intervención de las políticas públicas, fundamentalmente en las zonas urbanas de mayor desarrollo poblacional a través de los diferentes planes de vivienda y de la iniciativa privada, contribuyen a que el sector de la construcción adquiera un cierto protagonismo dentro de la economía española, que se ve incrementado con el boom de la construcción del turismo de costa pero fiscalizando lógicamente con la especulación a que está sometida la vivienda,

9.1.1.   Economía, vivienda y política social

Desde un punto de vista económico, la vivienda es un hecho de gran trascendencia para la economía de un país al ser un sector de arrastre de otros sectores de la economía, así, por ejemplo, la construcción y toda la industria auxiliar y de servicios relacionada con ella crece paralelamente al crecimiento del sector de la vivienda.

Tan importante es la vivienda para la economía de un país que el Estado interviene e invierte en la misma, bien sea a través de políticas sociales directas de promoción de vivienda pública, como indirectas fomentando el ahorro y la inversión de las economías domésticas para la adquisición de una vivienda; bien sea a través de incentivos fiscales o subvenciones y créditos a bajo interés para la adquisición o rehabilitación de viviendas, o sencillamente interviniendo en el sector bancario a través de la banca pública proporcionando créditos temporales flexibles o proporcionando el cooperativismo a través de las políticas de subvención y de incentivos.

Claro está que la capacidad del Estado para intervenir en el sector de la vivienda depende también de diferentes factores:

- De una parte, los recursos con los que cuenta el propio Estado a través de sus distintas administraciones.
- De otra parte, los criterios y valores sociales con los que se realizan los presupuestos de las distintas administraciones del Estado, y el valor ideológico que se le da o no a la vivienda.

Tampoco hay que olvidar, la intervención del Estado en el Fomento y construcción de la vivienda; no sólo se produce por los efectos macroeconómicos del sector como la reactivación de sectores productivos o la creación de empleo, sino que también suele haber una dimensión social que no puede ni debe ser olvidada.

El Estado aparece frecuentemente como mediador entre el ciudadano y el mercado, debiendo salvaguardar los intereses de los más desfavorecidos y evitar así, los efectos perversos que para la ciudadanía tiene no disponer de una vivienda digna.

En países en vía de desarrollo donde la natalidad es exultante entre las amplias capas sociales desfavorecidas, y donde la emigración a los núcleos urbanos es enorme, el problema de la vivienda tiene otra dimensión. El prácticamente inexistente parque de vivienda pública, choca frontalmente con otras problemáticas de ordenación urbana: asentamientos ilegales, poblamientos desordenados, hacinamiento en favelas, etc, elementos que hacen necesaria e imprescindible una intervención social general que integre además la vivienda.

9.1.2. Normativa de referencia y estructuras administrativas

En nuestro país, corresponde al Ministerio de Fomento la propuesta y ejecución de las políticas del Gobierno en materia de infraestructuras, de transporte terrestre de competencia estatal, aéreo y marítimo, así como de vivienda, calidad de la edificación y suelo. El Plan Estatal de Vivienda, renovable cada 4 años, es la normativa de referencia que articula en España las medidas enfocadas desde la Administración pública estatal para facilitar el acceso a la vivienda a través de la financiación de diversos tipos de ayudas. Desde la Administración General del Estado, tomamos como organismo institucional de referencia el Ministerio de Fomento.

En el ámbito autonómico de la Administración Valenciana el organismo de referencia es la Conselleria de Vivienda, Obras Públicas y Vertebración del Territorio. Dependiente de ésta se vincula la Entidad Valenciana de Vivienda y Suelo (EVHA) como entidad de derecho público para el desarrollo de las políticas autonómicas en materia de vivienda e infraestructuras. Los fines de EVHA tienen carácter transversal para toda la administración de la Generalitat y su actividad incluye la promoción, construcción y gestión de suelo, infraestructuras, equipamientos y edificaciones de cualquier índole, así como la gestión, explotación y mantenimiento de las mismas. La regulación se concreta en la Ley de Vivienda de la Comunidad Valenciana y la Ley por la función social de la vivienda de la Comunitat Valenciana.

9.2. Desarrollo: Planes y programas.

Los planes estatales de vivienda son plurianuales y se han ido desarrollando sucesivamente desde 1981. El vigente Plan de Vivienda 2018-2021, estatal de vivienda para la consecución de sus objetivos, se estructura en los siguientes programas:

Programa 1: Subsidiación de préstamos convenidos.

Programa 2: Ayudas al alquiler de vivienda.

Programa 3: Ayudas a las personas en situación de desahucio o lanzamiento de su vivienda habitual

Programa 4: Fomento del parque de vivienda en alquiler.

Programa 5: Fomento de la mejora de la eficiencia energética y sostenibilidad en viviendas.

Programa 6: Fomento de la conservación, de la mejora de la seguridad de utilización y de la accesibilidad en viviendas.

Programa 7: Fomento de la regeneración y renovación urbana y rural.

Programa 8: Ayuda a los jóvenes.

Programa 9: Fomento de viviendas para personas mayores y personas con diversidad funcional.

1. Programa de subsidiaciones de préstamos convenidos
Este programa tiene por objeto atender el pago de las ayudas de subsidiación de préstamos convenidos, regulados en anteriores planes estatales de vivienda, a aquellos beneficiarios que tengan derecho a la misma de acuerdo con la normativa de aplicación.

2. Programa de ayuda al alquiler de vivienda
Este programa tiene por objeto facilitar el disfrute de una vivienda en régimen de alquiler a sectores de población con escasos medios económicos, mediante el otorgamiento de ayudas directas a los inquilinos.

3. Programa de ayuda a las personas en situación de desahucio o lanzamiento de su vivienda habitual
El objeto de este programa es poder ofrecer una vivienda a las personas en situación de especial vulnerabilidad afectadas por procesos de desahucio de su vivienda habitual, al ser objeto de lanzamiento derivado de ejecución hipotecaria o de demanda de desahucio por impago de la renta del alquiler y no disponga de medios económicos para acceder al disfrute de una nueva vivienda.

4. Programa de fomento del parque de vivienda en alquiler
El objeto de este programa es el fomento del parque de vivienda en alquiler o cedida en uso, ya sea de titularidad pública o privada.

5. Programa de fomento de la mejora de la eficiencia energética y sostenibilidad en viviendas

Este programa tiene por objeto, tanto en ámbito urbano como rural, la financiación de obras de mejora de la eficiencia energética y la sostenibilidad, con especial atención a la envolvente edificatoria en edificios de tipología residencial colectiva, incluyendo sus viviendas, y en las viviendas unifamiliares.

6. Programa de fomento de la conservación, de la mejora de la seguridad de utilización y de la accesibilidad en viviendas

Este programa tiene por objeto la financiación de la ejecución de obras para la conservación, la mejora de la seguridad de utilización y de la accesibilidad en: viviendas unifamiliares aisladas o agrupadas en fila ya sean urbanas o rurales; en edificios de viviendas de tipología residencial colectiva, interviniendo tanto en sus elementos comunes como en el interior de cada vivienda; en viviendas ubicadas en edificios de tipología residencial colectiva.

7. Programa de fomento de la regeneración y renovación urbana y rural

El programa de fomento de la regeneración y renovación urbana y rural tiene como objeto la financiación de la realización conjunta de obras de rehabilitación en edificios y viviendas, incluidas las viviendas unifamiliares, de urbanización o reurbanización de espacios públicos y, en su caso, de edificación de edificios o viviendas en sustitución de edificios o viviendas demolidos, dentro de ámbitos de actuación denominados área de regeneración y renovación urbana o rural previamente delimitados.

8. Programa de ayuda a los jóvenes

Este programa tiene por objeto facilitar el acceso al disfrute de una vivienda digna y adecuada en régimen de alquiler a los jóvenes con escasos medios económicos, mediante el otorgamiento de ayudas directas al inquilino, o facilitar a jóvenes el acceso a una vivienda en régimen de propiedad localizada en un municipio de pequeño tamaño, mediante la concesión de una subvención directa para su adquisición. Asimismo, tiene por objeto incrementar las ayudas de los programas de fomento de mejora de la eficiencia energética y sostenibilidad en viviendas, de fomento de la conservación, de la mejora de la seguridad de utilización y de la accesibilidad en viviendas y de fomento de la regeneración y renovación urbana y rural cuando los beneficiarios sean personas mayores de edad y menores de treinta y cinco años y las actuaciones se realicen en municipios de pequeño tamaño.

9. Programa de fomento de viviendas para personas mayores y personas con diversidad funcional

El objeto de este programa es el fomento de la construcción de viviendas para personas mayores y personas con diversidad funcional junto con las instalaciones y servicios comunes necesarios para ser explotadas en régimen de alquiler o cesión en uso.

La gestión de las ayudas del Plan Estatal se articula a través de convenios de colaboración del Ministerio de Fomento con las Comunidades Autónomas. Corresponde a los órganos competentes de las Comunidades Autónomas, la tramitación y resolución de los procedimientos de concesión y pago de las ayudas del Plan, así como la gestión del abono de las subvenciones, una vez se haya reconocido, por éstas, el derecho de los beneficiarios a obtenerlas, dentro de las condiciones y límites establecidos en la regulación del Plan para cada programa, y según lo acordado en los correspondientes convenios de colaboración. En estos se establece la previsión de cantidades a aportar en cada anualidad por la Administración General del Estado, así como los compromisos de cofinanciación de las actuaciones que, en su caso, asuma la Comunidad Autónoma o Ciudades de Ceuta y de Melilla.

9.3. Subvenciones y Medidas urgentes dirigidas a la ciudadanía

Las actuaciones desarrolladas por las distintas administraciones públicas se dividen en tres ejes:

a) Ayudas públicas dirigidas al pago de alquiler con especial atención a aquellas situaciones de emergencia y derivadas de pobreza energética

b) El fomento de alquiler y rehabilitación de vivienda con especial atención a la inversión de capital privado.

c) Participación pública en la intermediación de vivienda, con objeto de incrementar el parque de vivienda de alquiler y reducir los precios a través de la compensación al propietario con seguros de impago, etc.

9.3.1. Ayudas al alquiler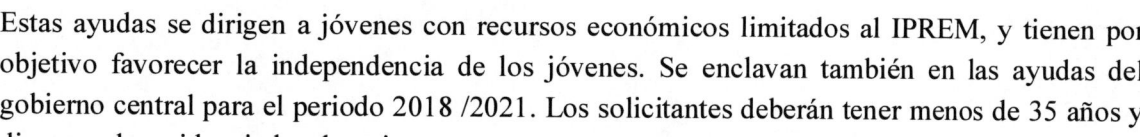

Estas ayudas se integran en el Plan Estatal 2018-2021, integrándose en el seno de la Generalitat Valenciana. Se orientan a mayores de 18 años y residencia legal en España o nativos previo cumplimiento de los siguientes requisitos:

a) Disponer de un contrato de alquiler como titular.

b) La vivienda debe constituirse como vivienda habitual o residencia permanente del titular.

c) Los ingresos del núcleo de convivencia familiar deberán ser inferiores al límite máximo de ingresos que permite la ayuda (igual o inferior a tres veces el IPREM).

d) La renta mensual de la vivienda debe oscilar entre un mínimo de 420 euros y un máximo de 600 euros, dependiendo de la cotización del territorio donde se ubique la vivienda.

Entre las variables de especial vulnerabilidad en la solicitud se consideran la edad, las circunstancias que rodean la familia y el solicitante y la tipología familiar.

La ayuda tiene una compensación máxima de hasta un 40% de la renta anual de pago de alquiler de la vivienda. Las ayudas se concederán para un periodo de un año pudiendo solicitarse, separadamente hasta un máximo de tres años.

9.3.2. Ayudas al alquiler para jóvenes

Estas ayudas se dirigen a jóvenes con recursos económicos limitados al IPREM, y tienen por objetivo favorecer la independencia de los jóvenes. Se enclavan también en las ayudas del gobierno central para el periodo 2018 /2021. Los solicitantes deberán tener menos de 35 años y disponer de residencia legal conjuntamente con estas características:

a) Titulares de un contrato de arrendamiento o alquiler de vivienda.

b) La vivienda debe constituirse como vivienda habitual o residencia permanente del titular del contrato.

c) Los ingresos de unidad de convivencia sean, en conjunto, inferiores al límite máximo de ingresos que da acceso a la ayuda igual o inferior a tres veces el IPREM[15]).

c) Los ingresos del núcleo de convivencia familiar deberán ser inferiores al límite máximo de ingresos que permite la ayuda (igual o inferior a tres veces el IPREM).

d) La renta mensual de la vivienda debe oscilar entre un mínimo de 420 euros y un máximo de 600 euros, dependiendo de la cotización del territorio donde se ubique la vivienda.

Se considerará la situación personal y social del solicitante a efectos de concesión de la ayuda que podrá alcanzar hasta el 50% de la renta anual de alquiler. Las ayudas se conceden para un año, renovable hasta un máximo de tres.

9.3.3. *Ayudas a la rehabilitación de edificios del programa de fomento de la mejora de la eficiencia energética y sostenibilidad en viviendas.*

Estas ayudas tratan de mantener la rehabilitación de edificios que por su especial singularidad o el paso de los años y deterioro necesiten ser reformados. Estas ayudas promueven que sean los propios propietarios a partir agrupaciones de comunidades de propietarios, cooperativas o propietarios particulares las soliciten. Las ayudas también se orientan a edificios públicos y por tanto a estas subvenciones también podrían concurrir administraciones públicas y entidades de derecho público que participen de la propiedad de inmuebles que requieran rehabilitación. Un ejemplo de este tipo seria el Colegio Mayor de La Coma (Paterna)

Así pues, serán subvencionadas para la mejorar de la eficiencia energética estas tipologías de viviendas:

a) Viviendas unifamiliares, aisladas o en hilera agrupada.

b) Edificios residenciales para colectividades.

Deberán cumplir estos requisitos:

a) Fecha de construcción anterior a 1996

b) Al menos el 70% de la construcción sea vivienda.

c) Que la mitad de las viviendas se encuentran ocupadas habitualmente por sus propietarios.

La subvención máxima gira en torno al 40% del coste de la rehabilitación, aunque la Generalitat Valenciana podría ampliar esta ayuda hasta el 50%.

9.3.4. *Subvenciones para la mejora de las condiciones del interior de las viviendas, en el marco del Plan de reforma interior de vivienda, Plan Renhata[16].*

---

[15] El Indicador Público de Renta de Efectos Múltiples (IPREM) es un índice empleado en España como referencia para la concesión de ayudas, subvenciones o el subsidio de desempleo. Nació en 2004 para sustituir al Salario Mínimo Interprofesional como referencia para estas ayudas. De esta forma el IPREM fue creciendo a un ritmo menor que el SMI facilitando el acceso a las ayudas para las economías familiares más desfavorecidas, mientras el SMI quedaría restringido a un ámbito laboral. Para el año 2020, el IPREM mensual se estableció en 537,84 euros y anual, no superó los 7519,59 euros.

Estas ayudas se orientan a la reforma de espacios interiores de las viviendas y se integran en el Plan de acción para la rehabilitación y renovación de viviendas de la Comunitat Valenciana (Renhata). Tiene como objetivo transformar el sector de la construcción hacia la rehabilitación integral de residenciales. La UE incide en este tipo de ayudas para mejorarla calidad de vida y el bienestar de la población.

Las acciones se orientan a mejorar las condiciones de vivienda individual, por tanto las ayudas atienden:

- Reparación de humedades, principalmente en cuartos de baño y cocinas.

- Adaptar las viviendas a personas dependientes: con movilidad reducida o diversidad funcional.

Los requisitos son para las vivienda, no para los propietarios como en las ayudas anteriores. En este caso, deben cumplir:

- Edificios que superen los 20 años desde su construcción en el momento de solicitud.

- Viviendas de residencia habitual y permanente de sus propietarios, inquilinos o en usufructo

Las ayudas amparan hasta un máximo del 25%- 35% del presupuesto de reforma con una ayuda mínima del 5% del mismo.

Los ejes de este Plan están sujetos a la mejora de las condiciones de vida de los beneficiarios y a rehabilitar el parque de vivienda fomentando el ahorro energético y la adecuación a las directrices de la UE en las líneas de:

• Innovación y desarrollo

• Información y Concienciación

• Formación y Empleo

• Financiación y Gestión

9.3.5. Medidas de rehabilitación y regeneración urbana de los barrios de la Comunitat Valenciana

Estas ayudas presentan una doble dimensión; por un lado, rehabilitar el parque de viviendas y mejora de las condiciones de los espacios públicos y a nivel social, en coordinación con los Servicios Sociales Comunitarios reacondicionar los barrios de especial vulnerabilidad en espacios con menor sesgo e implementar propuestas para la normalización. Esta forma de reajustar la vida comunitaria se realiza mediante PIINS (Planes de Intervención Integral Sostenible).

Los PIINS no solo forman parte de una cuestión arquitectónica y de diseño de ciudad, sino que tienen por objetivo la participación de los residentes. Estos planes incluyen la adecuación de actuaciones que faciliten la normalización de estos territorios incluyendo inspecciones para identificar viviendas desocupadas, ocupadas ilegalmente y los suministros de agua y luz, y si

---

[16] Este es un plan para la reforma de cocinas y baños y para adaptar la vivienda a personas con diversidad funcional, con un reconocimiento igual o superior al 33%.

estos son de uso legal o fraudulento. Por tanto, son Planes encaminados a proteger a la familia y dotarla de recursos en un entorno normalizado.

9.4. Plan de Actuación en Barrios de Acción Preferente de la Comunitat Valenciana

Relativo a la concepción teórica de los barrios vulnerables, cabe destacar su vertiente multifactorial y multidimensional, haciendo mención especial en primera instancia a aquellos factores que potencian los procesos de exclusión social y un estado permanente de vulnerabilidad social. Los factores de riesgo refieren condiciones sociales propias de un entorno físico deteriorado, falta de recursos económicos, desorganización social, alta densidad de población, existencia de drogas, elevada tasa de inmigración, altos índices de violencia y/o delincuencia en el territorio, constituyen una comunidad de riesgo..

En este sentido la Generalitat Valenciana en el año 1988 promovió el Plan Conjunto de Actuación en Barrios de Acción Preferente (BAP) mediante el Decreto 157/1988 de 11 de Octubre 1988 con objeto de promover actuaciones específicas en estos territorios para favorecen la inclusión social (factor que no ha tenido un efecto positivo desde su inicio, sino que ha cronificado más si cabe las dinámicas de exclusión). La idea original era acercar estos barrios a los recursos y servicios de la población normalizada, sin embargo el resultado después de casi 35 años es que estos territorios siguen luchando a diario contra la vulnerabilidad, y en algunos casos, contra la exclusión social

Son funciones del Plan Conjunto de Actuación, las siguientes:

a) Detección de los Barrios que necesitan estas acciones priorizándolos en razón a la urgencia de los problemas que les afectan y de las disponibilidades presupuestarias.

b) Propuesta de planes de actuación a las diferentes Consellerías y demás Entidades para que cada una, en el ámbito de sus competencias, aplique de manera singular sus recursos dentro de un plan coordinado.

c) Seguimiento de las diferentes actuaciones, garantizando que éstas se llevan a cabo coordinadamente y de acuerdo con los planes establecidos.

d) Aplicación de todos aquellos recursos que, por parte de otras Instituciones nacionales o europeas, se destinen a la lucha contra la pobreza y a la superación de desigualdades sociales.

Artículo cuarto

Todas las admiistraciones afectadas por el Plan Conjunto de Actuación aplicarán coordinadamente en los BAP aquellos programas que tienen previstos para situaciones de colectivos especialmente desfavorecidos y aquellos otros que en el futuro puedan poner en marcha. Una vez declarado un Barrio de Acción Preferente corresponderá la implantación de los siguientes recursos, sin prejuicio de aquellos que puedan arbitrarse en el futuro:

1. La Consellería de Cultura, Educación y Ciencia declarará Centros de Acción Educativa Singular los colegios ubicados en los BAP, aplicando los recursos educativos tal y como viene determinado en la normativa sobre estos Centros.

Coordinará igualmente, a través de la Comisión de Coordinación, las becas de comedor y las ayudas de libros que actualmente concede.

Primará en dichos Barrios la construcción de comedores escolares, así como el seguimiento de la escolarización.

Promocionará la creación de Escuelas Infantiles.

Realizará un programa de educación de adultos.

Organizará programas de tiempo libre y promoción del deporte, del ocio y de la cultura.

2. La Consellería de Trabajo y Seguridad Social aplicará todas las medidas especiales de promoción de empleo orientadas a mujeres, parados de larga duración y colectivos con dificultades específicas.

Potenciará la creación de Centros de Integración socio-laboral y los Centros de Empleo protegidos de acuerdo con la normativa que le es propia.

Promoverá el empleo autónomo y cooperativo.

Realizará, en coordinación con el Municipio afectado, planes temporales de ocupación, si fuesen necesarios.

Creará talleres ocupacionales específicos como recursos de iniciación laboral y prevención de la delincuencia.

Promocionará la formación laboral.

Creará en cada Barrio un Equipo de Intervención para la implantación y extensión de las prestaciones sociales básicas, apoyo a domicilio, ayuda económica, cooperación social e integración familiar.

Promoverá la participación social y la iniciativa comunitaria.

Someterá al principio de coordinación las subvenciones y conciertos con Instituciones privadas sin fin de lucro.

3. La Consellería de Sanidad y Consumo, llevará a cabo las siguientes acciones:

Realización de estudios de salud de comunidad en el Barrio.

Incremento de los recursos sanitarios de asistencia primaria que realicen prioritariamente acciones de promoción de salud, en especial de carácter educativo y de prevención de los problemas de salud.

Cobertura asistencial para la totalidad de la población del barrio.

4. La Consellería de Obras Públicas, Urbanismo y Transportes establecerá las medidas oportunas a fin de conseguir los siguientes objetivos:

- Mantenimiento y creación de infraestructura. Accesos y transporte colectivo.

- Rehabilitación y mantenimiento de viviendas.

- Realojamiento de colectivos marginales.

- Formalización y control de las ocupaciones de las mismas.

Para declarar un barrio como BAP se establece el siguiente procedimiento:

A petición del correspondiente Ayuntamiento, o de oficio por parte de la Administración Autonómica, se iniciará el expediente de declaración de BAP que deberá constar de un informe del barrio donde se hagan patentes al menos las condiciones sociales, educativas, sanitarias, laborales y urbanísticas que aconsejan su declaración como BAP, así como la evaluación presupuestaria del coste de las medidas propuestas en el plan de actuación.

La Comisión de Coordinación de BAP propondrá al Consell de la Generalitat Valenciana aquellos barrios que necesiten ser declarados de Acción Preferente, adoptando el Gobierno Valenciano los acuerdos pertinentes sobre las propuestas recibidas.

Los Barrios de Acción Preferente mantendrán dicho carácter hasta tanto se estime por la Comisión de Coordinación que han cesado las causas que dieron origen a dicha declaración, en cuyo caso se solicitará del Consell de la Generalitat Valenciana el acuerdo de cancelación de la calificación de BAP

Atendiendo las especiales características que reúnen los barrios, se declaran Barrios de Acción Preferente los siguientes:

- Barrio de «Las 1.000 viviendas» de Alicante.

- Barrio de «La Tafalera» de Elda.

- Barrio «Los Palmerales» de Elx.

- Barrio «San Agustín y San Marcos» de Castelló de la Plana.

- Barrio «613 viviendas» de Burjassot.

- Barrio «San José» de Xirivella.

- Barrio «La Coma» de Paterna.

- Barrio «Baladre» de Sagunt.

- Barrio «Zorrilla» de Torrent.

Desde la administración autonómica competente en materia de Educación: se declaró Centros de Acción Educativa Singular (CAES) a los colegios ubicados en los BAP, aplicando los recursos educativos de educación compensatoria establecidos. También se coordinan las becas de comedor y las ayudas de libros. Además se prima ls stención asistencial mediante la construcción de comedores escolares y otro recursos de primera necesidad.

Todas las administraciones afectadas por el Plan Conjunto de Actuación aplicaran coordinadamente aquellos programas que tienen previstos para situaciones de colectivos especialmente desfavorecidos. Por ejemplo el barrio de "La Coma" es uno de los territorios de acción preferente; en este barrio la Conselleria de educación habilitó dos centros de atención educativa singular (CAES), donde se atiende no solo cuestiones del curriculum formal del alumnado, sino de curriculum vital; es decir, hay familias con hijos en edad escolar que vienen desde casa sin saber comunicarse, sin saber expresar emociones, o tienen otro tipo de problemática como acudir al colegio sin almuerzo, o acuden desnutridos, sin hábitos... es decir se atienden problemáticas dobles: relacionadas con la supervivencia y el curriculum formal educativo.

9.5. La Vivienda Social: características y particularidades territoriales

La vivienda social es un concepto global en el que se integra la vivienda que puede ser de renta o alquiler a cargo y de propiedad del estado, de una organización sin fines de lucro, o de una combinación de ambas, o de una vivienda construida total o parcialmente por el Estado y cedida a beneficiarios, en general con el objetivo de proveer una vivienda económica.

Pero la vivienda social también puede ser en propiedad; aquella que se vende a unos precios que no se rigen por el mercado, sino por la capacidad económica de los inquilinos interesados. La media europea de viviendas sociales es del 18 % (2019), y el público ideal para este tipo de vivienda va desde estudiantes, parejas jóvenes y familias con niños hasta personas mayores o con necesidades especiales. Está pensado para hacer posible que estos usuarios de vivienda mejoren su calidad de vida, aunque para acceder a este tipo de viviendas es necesario cumplir una serie de requisitos que variarán en función de cada país y de las circunstancias de vulnerabilidad social de los solicitantes.

La vivienda social es tendencia y se divide en dos tipologías:

Universalista

- Parte de un concepto amplio de bienestar social
- Aspira a proveer a toda la población con vivienda de calidad decente a un precio asequible
- Responsabilidad publica
- Amplia gama de operadores (empresa publicas/municipales; operadores sin fines de lucro autorizados, etc.)
- Función reguladora del mercado
- Objetivo clave: comunidades socialmente equilibradas a través de "mix" social.

Focalizada

- Ideología Neoliberal: mercado asigna recursos de forma más eficiente para mayoría
- Vivienda social, focalizada hacia grupos desfavorecidos (los excluidos del mercado)
- Amplia variedad de operadores en términos de tipo, cantidad y criterios de provisión de vivienda
- Subtipos:
  a) Empleados (que sería el concepto tradicional de la vivienda social)
  b) Grupos desfavorecidos

Tabla 6. Tipologias de vivienda en la UE: Estados y porcentaje respecto el total

Criterios de adjudicación Tamaño del sector de vivienda social	universalista	focalizado	
		empleados	Grupos desfavorecidos
>=20%	Suecia Holanda Austria Dinamarca	Austria Polonia	Reino unido
11%-19%	Finlandia	Republica checa Finlandia Francia	Francia
<=10%		Bélgica Grecia Italia Luxemburgo Alemania	Bélgica Estonia Hungría Irlanda Portugal España Alemania

Fuente: Elaboración propia

Por tanto las políticas públicas tienen alta responsabilidad en la gestión de la vivienda social y en la orientación ideológica sobre el parque de vivienda. Así, es de interés identificar de manera ordenada las principales estrategias públicas que debieran integrar un estudio adecuado de vivienda social de acuerdo a las necesidades de un territorio concreto:

Realizar un estudio antropométrico del ciudadano medio que sirva de antecedente y determinante para todos los sectores productivos y comprometidos con la vivienda social.

Elaborar un sistema de coordinación dimensional que proponga estándares únicos en el ámbito territorial de la vivienda social.

Promover una legislación que obligue el cumplimiento de un sistema dimensional normalizado, a la industria y al comercio de mobiliario y equipo doméstico, como igualmente al diseño y a la construcción de viviendas.

Confeccionar un estudio tendiente a definir niveles de sostenibilidad cuantificables para las diferentes actividades que soportan los territorios con edificios de vivienda social.

Favorecer el desarrollo local mediante la articulación de políticas públicas mixtas de tipo urbano, social y de participación de la ciudadanía en el diseño de sus propios espacios, y que estos promuevan estrategias de transformación tanto a nivel comunitario como supralocal.

Estudiar el alcance y consecuencias de territorios con similares problemáticas y población donde se producen las regulaciones anteriores y donde no se producen. Con objeto de establecer análisis micro con tendencia macro.

Todos estos factores, seguro contribuirán a transformar la realidad de la vivienda y los factores sociales, políticos, económicos, etc que a ella se asocian.

9.6. Conclusiones

Las políticas en materia de vivienda son frágiles, a pesar de la importancia y el impacto que tiene la vivienda en la economía española y en la ocupación de la población activa. Es cierto que se desgranan programas que colaboran en la defensa de derechos y garantías dirigidas a colectivos más necesitados de la protección social: jóvenes, población en riesgo o perdida de vivienda, personas con diversidad funcional y a través del fomento del parque de vivienda en alquiler, facilitar la regulación de préstamos convenidos o la accesibilidad a la vivienda; sin embargo, también hemos apreciado como la columna vertebral del sistema se basa prácticamente en ayudas y subvenciones: pan para hoy, hambre para mañana. Es muy importante asegurar y defender la realidad de la Constitución, en parámetros de derecho subjetivo que aseguren el cumplimiento de la *Carta Magna* ya que como anuncia en el artículo 47, *"todos los españoles tienen derecho a disfrutar de una vivienda digna y adecuada. Los poderes públicos promoverán las condiciones necesarias y establecerán las normas pertinentes para hacer efectivo este derecho, regulando la utilización del suelo de acuerdo con el interés general para impedir la especulación"*. De acuerdo a esto, las administraciones públicas en materia de política social deben legitimar la posición del ciudadano frente a sus derechos.

Las políticas públicas de vivienda son complejas ya que deben atender a diversidad de factores: sociales, económicos, territoriales, etc, lo que contribuye a incrementar las vulnerabilidades de la ciudadanía o reducirlas. El ejemplo de la vivienda social es bastante significativo y orientativo en este sentido.

Finalmente podemos contestar parcialmente la pregunta que contiene el título del presente capítulo porque tal vez la vivienda no representa un sistema como tal, sino más bien un conjunto regulado de normas y procedimientos en la forma de subvenciones y ayudas públicas que colaboran en la asignación de recursos, pero sin llegar a garantizarlos.

EJERCICIO 1 **Visualiza el documental Ritmos de la Coma y realiza el siguiente ejercicio:**

a) Haz un resumen crítico del documental cortometraje:

Navarro-Pérez, J.J. Domínguez, C. y Vila, P. (2018) Ritmos de La Coma

https://cutt.ly/4yjJbd2

b) Articula una propuesta que permita visibilizar en clave positiva las particularidades de este barrio y las medidas que integra el Plan Estatal de Vivienda 2018-2021. Justifica tu respuesta y añade en su caso, ejemplos que lo justifiquen.

EJERCICIO 2 Busca una notica de prensa de entre los años 2009 y 2015 en la que se haya producido una orden de desahucio:

a) Explica el procedimiento de desahucio que se expone en la noticia.

b) Valora si las condiciones de la familia desahuciada podrían ser subsanables por alguna de las subvenciones y ayudas que hemos presentado en este capítulo.

c) Realiza un estudio a fondo del caso y propón las actuaciones necesarias, incluyendo sistemas de bienestar adicionales al de vivienda.

 **EJERCICIO 3.**

Realiza una lectura crítica a la Red Alquila y al Plan Conjunto de Actuación en Barrios de Acción Preferente (BAP) Decreto 157/1988 de 11 de Octubre 1988.

a) Enlaza las medidas de la Red Alquila que podrían favorecer el desarrollo de estos territorios.

b) Realiza propuestas de dinamización para reducir procesos de vulnerabilidad con minorías étnicas residentes en estos entornos.

**EJERCICIO 4.**

Relativo a este texto:

Pérez-Cosin, J.V., Mendez, A.J. y Valero, D. (2015). Alternativas a los procesos de exclusión social en territorios sensibles de la Comunitat Valenciana. *Revista Iberoamericana de autogestión y acción comunal*, 66-67, 105-123 http://www.ridaa.es/ridaa/index.php/ridaa/article/view/139/137

Realiza un resumen con las principales aportaciones del texto.

Destaca las Fortalezas y Oportunidades del autodesarrollo en territorios complejos como los que destacan los autores.

Capítulo 10. REFERENCIAS BÁSICAS PARA EL ESTUDIO DE LA ADMINISTRACIÓN DE BIENESTAR SOCIAL

Enric Sigalat-Signes
Universitat de València

José-Javier Navarro-Pérez
Universitat de València

Angel Joel Mendez-Lopez
Universitat de València

Alejandro Gil-Salmerón
Instituto de Investigación Polibienestar
Universitat de València

10.1 Introducción

El estudio de la asignatura se hace necesario con el apoyo de materiales que seguidamente presentamos. Son documentos que deben servir para complementar este manual e incluso las transparencias que pudiera facilitar el docente. En este sentido, se recomienda tener accesibles los materiales para apoyar los mismos con las orientaciones del docente, y en su caso, realizar comentarios y/o asociaciones con estas fuentes. Son materiales útiles para avanzar en la resolución de ejercicios que figuran en cada capítulo.

10.2 Referencias Introducción a la Administración del Estado.

- Ariño, G. (1988). Principios de descentralización y desconcentración. *Documentación administrativa*, 214, 11-34 https://dialnet.unirioja.es/servlet/articulo?codigo=4244210
- De la Casa, E. (2016). Vetos y resistencias en el fracaso de la reforma de la planta local en España. *Revista de Estudios de la Administración Local y Autonómica: Nueva Época*, 5, https://dialnet.unirioja.es/servlet/articulo?codigo=5660759
- Calonge, A. González, T. y García, J.A. (1997). *Autonomías y municipios: descentralización y coordinación de competencias.* Valladolid: Secretariado de Publicaciones, Universidad.
- Rodríguez de Santiago, J.M. (2007). *La administración del estado social.* Madrid: Marcial Pons, Ediciones Jurídicas y Sociales.
- Gallego, R. Subirats, J. y Gomá, R. (2003). *Estado de bienestar y comunidades autónomas: la descentralización de las políticas sociales en España.* Barcelona: Tecnos.

10.3 Referencias Sistema de Servicios Sociales

- Alemán Bracho, C; Alonso Seco, J. M.; García Serrano, M. (2011). Servicios Sociales Públicos, Ed. Tecnos. (Grupo Anaya S.A.). Madrid. España.
- Alonso-Olea, B, Medina, S. (2016). Derechos de los Servicios Públicos Sociales. Segunda Edición. Civitas Thomson Reuters. Navarra. España.
- Ley 3/2019, de 18 de febrero, de Servicios Sociales Inclusivos de la Comunitat Valenciana.
- Sanchez-Flores, S. (2018). La Administración Social de los Sistemas de Bienestar. El contexto institucional del Trabajo Social. Tirant Lo Blanch. Valencia. España.

- Conselleria d'igualtat i Polítiques Inclusive. http://www.inclusio.gva.es/va/
- Uceda, F.X, Martinez, L. Navarro-Pérez, J.J. y Botija, M. (2014). La pérdida de garantías en los Servicios Sociales Comunitarios: la reforma local. *Azarbe: Revista Internacional de Trabajo Social y Bienestar*. 3, 247-251 https://digitum.um.es/digitum/

10.4 Referencias Sistema de Seguridad Social.

- Alemán-Bracho, C. y Garcés-Ferrer, J. (1997). Política Social. Madrid: McGraw-Hill.
- Cervilla, M.J. Jover, C. y Ramirez, M.D. (2019). Problemas actuales de la Seguridad Social en perspectiva internacional. Murcia: Laborum
- Fernández, M.F. Salvador y F. Hurtado, L. (2018) Ley general de la seguridad social, Madrid: Tecnos
- Fracescutti, L.P. (2017). Predicciones y percepción de riesgo social: los pronósticos fallidos sobre la crisis de las pensiones públicas españolas. Arbor: Ciencia, pensamiento y cultura, 193, 784 http://arbor.revistas.csic.es/index.php/arbor/article/view/2191/2986
- González-Rosón, C.A. (2016). El Fondo de Reserva de la Seguridad Social. Foro de Seguridad Social, 26, 42-51
- Izquierdo, J.D. y Torres, R. (2010). El Colectivo de mayores, los accidentes de tráfico y el trabajo social. Portularia: Revista de Trabajo Social, 10, 1, 33-49 https://10.5218/prts.2010.0003
- Izquierdo, JD. y Torres, R. (2012). Estado y Sistemas de Bienestar. Madrid: Ediciones Académicas.
- López de Insúa, B.M. (2015). Colectivos "de riesgo" y anticipación de la edad jubilatoria. Revista General de Derecho del Trabajo y de la Seguridad Social, 40,
- Llorente, R. (2020). Impacto del COVID-19 en el mercado de trabajo: un análisis de los colectivos vulnerables. Documentos de Trabajo (IAES, Instituto Universitario de Análisis Económico y Social), 2, 1-29.
- Moreno i Gené, J. y Fernández, L.A. (2017). Crisis de empleo, integración y vulnerabilidad social. Cizur Menor: Thomson Reuters - Aranzadi.
- Wood. G.D. (2010). Regímenes de bienestar: problemáticas y fortalezas en la búsqueda de la satisfacción vital de las personas. Cuadernos de Trabajo Hegoa 53, 1-39 https://www.ehu.eus/ojs/index.php/hegoa/article/view/10591/9831

10.5 Referencias Sistema de Salud

- Fraser, M. W., Lombardi, B. M., Wu, S., Zerden, L. D., Richman, E. L., & Fraher, E. P. (2018). Integrated primary care and social work: A systematic review. *Journal of the Society for Social Work and Research*, 9, 175–215. doi:10.1086/697567

- Monrós M.J. (2012). Cartera de Servicios de Trabajo Social Sanitario de la Comunitat Valenciana. Valencia: Generalitat. Conselleria de Sanitat.

- Sánchez-Flores, S. (2018). *La Administración Social y los Sistemas de Bienestar. El contexto institucional del Trabajo Social.* Valencia: Tirant lo Blanch

- Stanhope, V., Videka, L., Thorning, H., & McKay, M. (2015). Moving toward integrated health: An opportunity for social work. Social Work in Health Care, 54, 383–407. doi:10.1080/00981389.2015.1025122

- Van der Zee, J. & Kronema, M.W. (2007). Bismarck or Beveridge: a beauty contest between dinosaurs, *BMC Health Services*, 7(94) doi:10.1186/1472-6963-7-94

10.6 Referencias Sistema de Dependencia

- Almajano, M.M. (2018) Situación de la Ley de Promoción de la Autonomia personal y atención a las personas en situación de dependència en el municipio de Valencia (Trabajo Final de Master). Universitat de València, Valencia, España.

- Esping-Andersen, G., Gallie, D. Hemerijck, A. y Myles, J. (2002). Why We Need a New Welfare State. Oxford: Oxford University Press.

- Lima, A.I. (2006). Presentación del plan de formación y aportaciones del trabajo social a la ley De Promoción del la Autonomía Personal y Atención A Las Personas En Situación De Dependencia. Encuentro Consejo General-IMSERSO, 15 de diciembre de 2006.

- Rodríguez, P. (2006) El sistema de servicios sociales español y las necesidades derivadas de la atención a la dependencia. Fundación Alternativas.

10.7 Referencias del Sistema de Educación

- Abellán, C. M. A. (2017a). Una mirada desde los organismos internacionales a la educación para todos. *Opción*, *33*(83), 203-229.

- Abellán, C.M.A. (2017b). Análisis de instrumentos sobre educación inclusiva y atención a la diversidad. *Revista Complutense de Educación*, 28(4), 1043-1060.

- de España, G. (2006). Ley orgánica 2/2006, de 3 de mayo, de Educación. *Boletín oficial del Estado*, *106*(4), 17158-17207.

- de España, G. (2013). Ley Orgánica 8/2013, de 9 de diciembre, para la mejora de la calidad educativa. *Boletín Oficial del Estado*. Disponible en: www. boe. es/diario_boe/txt. php.y Formación Profesional.

- De Rivas, Mª.J. y Hervás, Mª.J.(1994). Educación y Servicios Sociales. En Garcés Ferrer, J. (Coord.): *La administración pública del bienestar social*. Valencia: Editorial Tirant lo Blanch, cap. I, 17-45.

- García, C. y Puigvet, L. (2010). Sociología y currículo. En Fernández Palomares, F. (Coord.): *Sociología de la Educación*. Madrid: Pearson Prentice Hall, 261-280.

- Ministerio de Educación y Formación Profesional del Gobierno de España (2020). Recuperado de www.educacionyfp.gob.es/portada.html

- Prado, C. V. (2017). El diseño constitucional de los derechos educativos ante los retos presentes y futuros. *Revista de Derecho Político*, *1*(100), 739-766.

- Tocino, G. E. y Montoya, B. C. (2016). Las leyes educativas de la democracia en España a examen (1980-2013). *Historia y Memoria de la Educación*, (3), 7-14.

10.8 Referencias Sistema de Trabajo.

- Beck, U. (2000). *Un nuevo mundo feliz: la precariedad del trabajo en la era de la globalización*. Barcelona: Paidós Estado y Sociedad.
- Benito, S. M. R., Lasierra, J. M., Ortiz, L. P., Trujillo, M. P., y da Silva Bichara, J. (2014). *Economía del trabajo y política laboral*. Ediciones Pirámide.
- Canto, M. B., Rodríguez, V. A. y Domínguez, M. D. L. A. S. Análisis territorial de la evolución de las prestaciones por desempleo en España. En *II Congreso Virtual Internacional Economía, finanzas y contextos organizativos: nuevos retos* (julio 2018).
- de Empleo Estatal, S. P. (2017). Servicio Público de Empleo Estatal. *Ministerio de Empleo y Seguridad Social, Gobierno de España, SEPE: www. sepe. es*
- Martínez, A. (2011). El discurso de la Unión Europea en materia de políticas de empleo y exclusión social. Análisis sociológico de la Estrategia Europea de Empleo. *Papers*, 96 (1), 35-54.
- Romero, F. S. (2006). *Diseño actual de las políticas de empleo en la Unión Europea y España* (No. 3 (045) 300). e-libro, Corp.
- Real Decreto Legislativo 3/2015, de 23 de octubre (2015), por el que se aprueba el texto refundido de la *Ley de Empleo*. BOE-A-2015-11431.
- Romero, F. S. (2017). Diseño actual de las políticas activas de empleo en España. *Revista Austral de Ciencias Sociales*, (9), 15-24.
- Sánchez-Flores, S. (2018). La Administración Social y los Sistemas de Bienestar. El contexto institucional del Trabajo Social. Valencia: Tirant lo Blanch
- Sánchez-Mora Molina, M. y García-Palma, M. (2017). Ciudadanía y estado de bienestar: reconfiguración de las políticas sociolaborales. *ÁREAS revista internacional de ciencias Sociales*, 36, 73-85.
- Selma Penalva, A. (2016). La función social de la Renta Activa de Inserción en el siglo XXI. *Revista de Derecho de la Seguridad Social, Laborum, 0*. Recuperado de http://revista.laborum.es/index.php/revsegsoc/article/view/226
- Valverde, J. F. M. (2014). *El desarrollo autonómico y eficacia de las políticas activas de empleo: un análisis comparado*. Fundación Alternativas.

10.9 Referencias Sistema de Justicia

- Conselleria de Justicia, Administración Pública, Reformas Democráticas y Libertades Públicas (2018). Oficina de atención a las víctimas del delito. Recuperado de: http://www.oficinavictimas.gva.es/
- Curbelo, E.A. y Ledesma, J.M. (2007). Trabajo social y servicios sociales en el contexto institucional penitenciario: aproximación a las cuestiones epistemológicas y metodológicas de la práctica profesional. *Documentos de Trabajo Social*, 40-42, 239-274.
- Ley Orgánica 5/2000, de 12 de enero, reguladora de la responsabilidad penal de los menores (BOE núm. 11, de 13.01.2000)
- López-Melero, M. (2012). Evolución de los sistemas penitenciarios y de la ejecución penal. *Anuario de la Facultad de Derecho*, 5, 401-448 https://ebuah.uah.es/dspace/handle/10017/13803
- Martín, A. Alos, R. Gibert, F. y Miguélez, F. (2009). Política de reinserción y funciones del trabajo en las prisiones: el caso de Cataluña. *Política y Sociedad*, 46, 1-2, 221-236.

- Muñoz, A. (2015). Impresiones del V Congreso del Observatorio contra la Violencia Doméstica y de Género. *Aequalitas: Revista jurídica de igualdad de oportunidades entre mujeres y hombres*, 36, 25-31.
- Navarro-Pérez, J.J., Botija, M. y Uceda, F.X. (2016). La justicia juvenil en España: una responsabilidad colectiva. Propuestas desde el Trabajo Social. *Interacción y perspectiva: Revista de Trabajo Social*, 6, 2, 156-173 http://produccioncientificaluz.org/index.php/interaccion/article/view/21441
- Navarro-Pérez J.J., Botija, M. y Carbonell, A. (2016). Del castigo a la humanización. Adolescentes en centros de justicia juvenil: percepciones y reflexiones. *Trabajo Social Hoy*, 77, 25-40 https://www.trabajosocialhoy.com/articulo/127/del-castigo-a-la-humanizacion-adolescentes-en-centros-de-justicia-juvenil-percepciones-y-reflexiones
- Oliver, P. –Coord- (2013). *El siglo de los castigos: prisión y formas carcelarias en la España del siglo XX*. Barcelona : Anthropos
- Ramón, F. (2019). La monoparentalidad derivada de la violencia de género: análisis de la cuestión. *REINAD: Revista sobre la infancia y la ad*olescencia, 16, 14-28. https://polipapers.upv.es/index.php/reinad/article/view/10844
- Real Decreto 190/1996, de 9 de febrero, por el que se aprueba el Reglamento Penitenciario. https://www.boe.es/buscar/act.php?id=BOE-A-1996-3307
- Sánchez-Flores, S. (2018). La Administración Social y los Sistemas de Bienestar. El contexto institucional del Trabajo Social. Valencia: Tirant lo Blanch

10.10 Referencias Sistema de Vivienda

- Aguirre, J. Arévalo, J., Romero, I. Díaz, P. Acero, G. y Obeso, Í. (2017). Metodología integral para la intervención en barrios vulnerables de Madrid. Naturaleza, territorio y ciudad en un mundo global, Actas del XXV Congreso de la Asociación de Geógrafos Españoles, Madrid, Julio de 2017, págs. 888-896 https://n9.cl/913y
- Caravantes, G.M. (2019). El análisis de las necesidades desde la Teoría del Desarrollo a Escala Humana: el caso de dos barrios vulnerables de la Comunitat Valenciana (España). *Global Social Work*, 9, 17, 157-182 https://dialnet.unirioja.es/servlet/articulo?codigo=7168697
- Decreto 157/1988, de 11 de octubre, del Consell de la Generalitat Valenciana, por el que se establece el Plan Conjunto de Actuación de Barrios de Acción Preferente.
- Castillo, M.P. y Miralles, J.A. (2015). Dinamización comunitaria y exclusión social. URBS: Revista de estudios urbanos y ciencias sociales, 5, 1, 159-167
- Conselleria de Vivienda, Obras Públicas y Vertebración del Territorio (2018): Ayudas convocatorias 2018. Recuperado de: https://n9.cl/yepg
- Conselleria de Vivienda, Obras Públicas y Vertebración del Territorio (2018): Plan de Rehabilitación y Renovación de l'Habitatge. Recuperado de http://www.habitatge.gva.es/es/web/vivienda-y-calidad-en-la-edificacion/ayudas-planrenhata
- Echaves, A. (2012). El difícil acceso de los jóvenes al mercado de vivienda en España: precios, regímenes de tenencia y esfuerzos. Cuadernos de relaciones laborales, 35, 1, 127-149 https://revistas.ucm.es/index.php/CRLA/article/view/54986/50105
- Garcia-Sanchez, A.B., Juan-Toset, E.M., y Ortíz, P.M. (2017). Trabajo Social en el ámbito de vivienda: una aproximación a la formación e investigación como elementos de cualificación profesional. Documentos de Trabajo Social , 59, 208-232.
- Generalitat Valenciana (2018): Red Alquila. Conselleria de Vivienda, Obras Públicas y Vertebración del Territorio. Recuperado de http://www.redalquila.gva.es/

- Martínez del Olmo, A. (2020). El sistema de vivienda del sur de Europa: ¿continuidad o ruptura? *Revista Española de Sociologia,* 29,1, 153-180 https://dialnet.unirioja.es/servlet/articulo?codigo=7380490
- Ministerio de Fomento (2018): Plan Estatal de Vivienda 2018-2021. Recuperado de: https://www.fomento.gob.es/MFOM/LANG_CASTELLANO/DIRECCIONES_GENE RALES/ARQ_VI
- Navarro-Pérez, J.J. Domínguez, C. y Vila, P. (2018) *Ritmos de La Coma* https://cutt.ly/4yjJbd2
- Pérez-Cosin, J.V., Mendez, A.J. y Valero, D. (2015). Alternativas a los procesos de exclusión social en territorios sensibles de la Comunitat Valenciana. *Revista iberoamericana de autogestión y acción comunal,* 66-67, 105-123 http://www.ridaa.es/ridaa/index.php/ridaa/article/view/139/137
- Sánchez-Flores, S. (2018). La Administración Social y los Sistemas de Bienestar. El contexto institucional del Trabajo Social. Valencia: Tirant lo Blanch